Piet Polies
in actie

Floris Kappelle

Met illustraties van **Rijk de Gooyer**

Uitgeverij Ploegsma Amsterdam

Pieowieowieowie!!

Met gillende sirene scheurt de politieauto de donkere Koningslaan in. De Volvo remt, knalt de stoep op en stopt in de voortuin van het huis op nummer 18. Twee agenten springen eruit, maar rennen niet meteen naar de voordeur. Eerst wachten op hulp... Wat is de situatie?

Overal in de straat gaan lichten aan. Mensen in pyjama komen voor de ramen staan en kijken naar buiten. Wat is er aan de hand, wat heeft dit te betekenen?

Ondertussen doet iemand in zwarte kleren aan de achterkant van nummer 18 een schuifdeur open en stapt snel en stil het balkon op. De man klimt over de rand van het balkon, hangt even te bungelen en springt. Hij landt zachtjes op het gras.

Dan komt er een tweede figuur, ook in het zwart, de kamer uit en het balkon op. Hij gooit een tas naar de eerste man op het gras. Daarna schuift hij op zijn buik naar de rand van het balkon en gaat eraan hangen, klaar om te springen.

'Halt! Blijf daar hangen of ik schiet!'

Het is Piet Polies.

Er gaat een oogverblindend zoeklicht aan en de inbreker hangt vol in het licht. Gesnapt!

Piet vangt de man op en duwt hem tegen de grond. Daar zijn de handboeien.

Nu komen ook Julia en Jimmy tevoorschijn.

Zij hebben de eerste inbreker al in de boeien geslagen.

'We waren net op tijd!'

'Goed werk, jongens. Afvoeren die gasten. En dan snel naar bed. Morgen voetballen.'

Piet Polies en de kermisklanten

Op bezoek bij de burgemeester 11

Een vreemde snuiter op de kermis 13

In het reuzenrad zie je tenminste wat! 17

De gestolen tijger 22

Nachtelijk gehannes 27

De deal. Maar welke deal? 30

Stiekem afluisteren 34

Als de kroketten gaar zijn… 39

De vliegende verrekijker 44

Geen tijd voor ongein 46

Geknetter op de autosloperij 50

Tegen de lamp gelopen 55

Met liegen kom je er niet 59

Smoesjes helpen niet 63

De taart van Tante Tine 69

De plattegrond van Dammerlo 72

Piet Polies en de flappentappers

Bank beroofd!   77

Er is er een jarig…   80

Jarig zijn is ook niet alles   85

Liever een rooie   90

Lekker voetbal kijken   96

Gestolen geld? Of zwart geld?   100

Echt vals geld   104

Voelen, kijken en kantelen   107

De Geheime Opdracht   112

Spioneren bij je vrienden?   117

Zaterdag, botendag   124

Handen omhoog!   132

Liegen en bedriegen   138

Geld kopiëren, dat mag dus niet   143

En dan is er taart   149

Ken je deze woorden?   153

Piet Polies

en de kermisklanten

Met:
1   Piet Polies, politieman
2   Kuijer, politiehond
3   Julia Seinpaal, politieagente, assistente van Piet Polies
4   Robin, neefje van Piet Polies
5   Kees, zusje van Robin en nichtje van Piet Polies
6   Jippe, vriend van Robin
7   Gerrit Scheurkogel, kermismeester
8   Henny van Vuren, eigenaar van de schiettent
9   Dokus, autosloper
10 Harry, snackbarhouder van Harry's Snelbuffet
11 Burgemeester Klotterbeuk
12 Meester Grijpgraag, officier van justitie
13 Meester Kreukniet, rechter
14 Meester Petrowitz, advocaat
15 Snaaima en Sporenberg,
    de mannen van de Technische Recherche
16 Tante Tine van de kantine

Op bezoek bij de burgemeester

Tijdstip: vrijdagmorgen, 09.00 uur

Locatie: het stadhuis

Personen: de burgemeester, Meester Grijpgraag en Piet Polies

'Heren, ik denk dat we de kermis moeten sluiten.'

De burgemeester zei het langzaam, met zware stem. Hij keek er moeilijk bij.

Aan de grote tafel zaten Piet Polies en Meester Grijpgraag achter een kopje koffie. Ze luisterden aandachtig.

'Er gebeuren rare dingen op de kermis,' vervolgde de burgemeester. 'Dit jaar hebben we gelukkig geen overlast van jongeren. Maar wel een zweefmolen die zomaar twee keer te hard gaat. Botsauto's die op hol slaan. Plotselinge stroomuitval. Nachtelijk gedoe op het terrein. Noem maar op. Ik wil de vergunning van de kermis intrekken.'

Grijpgraag en Piet Polies keken elkaar aan. Piet trok één wenkbrauw op.

'Hmm,' mompelde Grijpgraag, 'de vergunning intrekken... dat lijkt mij ook het beste.'

Piet Polies ging staan.

'Nou, Burgemeester, daar zegt u wat. Maar misschien is het slimmer om de kermis NIET te sluiten.'

'Hoezo, NIET te sluiten?' vroeg de burgemeester.

'Om een valstrik te kunnen zetten,' zei Piet.

'Een valstrik? Voor wie?'

'Ja, voor wie?' herhaalde Grijpgraag.

'Dat zal ik u vertellen, heren,' zei Piet, 'voor de "onverlaten" natuurlijk! Want het lijkt me duidelijk dat die dingen niet zomaar gebeuren! Daar zitten vast kwaadwillende figuren achter.'

De burgemeester pakte een grote sprits uit de koekjestrommel die voor hem stond. Grijpgraag kauwde op zijn balpen.

'Jazeker,' zei Piet Polies, 'we moeten de kermis openlaten, om DAN toe te slaan!'

'Zodat jij de boeven op heterdaad kunt betrappen! Is dat je bedoeling, Piet?' De burgemeester riep het uit alsof hij het zelf had bedacht.

'Of het boeven zijn, weten we nog niet, Burgemeester, maar wel dat er rare dingen gebeuren. En dat moet stoppen. Als de kermis openblijft, is de pakkans groter.'

Piet Polies roerde in zijn beker koffie, keek om zich heen en nam een flinke slok.

'Wat vind jij, Grijpgraag?' vroeg de burgemeester.

'Doen, zeg ik. Gewoon doen. Piet heeft gelijk. En boeven vangen, dat is wat wij willen. Ja toch, Burgemeester?'

'Jazeker...' zei de burgemeester bedachtzaam. 'Goed dan, heren, we laten de kermis open. Voorlopig. Piet, je krijgt drie dagen om deze zaak op te lossen. Anders is het afgelopen met de kermis. D'r uit nu en aan de slag.'

Piet Polies stond op en verliet de kamer.

Drie dagen maar, dacht hij terwijl hij met twee treden tegelijk de trap af vloog, dat is niet veel! Tijd voor actie!

En met grote stappen beende hij het stadhuis uit. Hij sprong in zijn politieauto en scheurde de hoek om. Vanuit het raam op de eerste verdieping keek de burgemeester hem hoofdschuddend na.

Een vreemde snuiter op de kermis

Tijdstip: vrijdagmiddag, 15.00 uur

Locatie: de kermis

Personen: Robin, Kees en Jippe.
En Piet Polies

'Hé jongens!
Laten we in de Mega Mouse gaan! Ik heb kortingsbonnen!'

Terwijl Robin het riep, rende hij richting de enorme achtbaan.

Kees en Jippe holden achter hem aan over het kermisterrein.

'Waarom doen we niet eerst de Booster? Die is veel groter,' hijgde Jippe.

Ze hielden halt bij de Mega Mouse, een enorme constructie van ijzer en staal. Hoog in de lucht scheurden de bakjes met gillende kinderen over de achtbaan.

'Weet ik,' zei Robin. 'Maar we hebben Kees bij ons en die is te klein. Die mag niet in de Booster.'

'Oké,' zei Jippe, 'vooruit dan maar.'

Kees was een meisje. Het jongere zusje van Robin. Ze was nog te klein om op de kermis overal in te mogen. Dus moesten ze goed kijken wat mocht en wat niet mocht. Robin en Jippe waren zelf al elf. Zij mochten wel overal in.

'Drie kaartjes voor de Mega Mouse,' zei Robin tegen de man achter het loket van een klein glazen hokje. De man had een geel petje op en kauwde overdreven op een stukje kauwgum. Robin legde het geld in het bakje.

'Hier, drie kaartjes, maar hou je zusje goed in de gaten, hè!'

De man kauwde gewoon door terwijl hij het zei.

Wat een viezerik, dacht Robin.

'Ja ja, meneer, komt voor de bakker.'

Hij griste de kaartjes van de toonbank.

'Yes! Hebbes! Kom op, jongens! We gaan aan boord!'

Ze stapten in het wagentje en klikten de beugel vast. Vrolijke popmuziek schetterde uit de speakers. En daar gingen ze.

'Jiehaa!' Ze gilden het uit. Wat ging dit hard!

Toen ze na vijf minuten weer uit de Mega Mouse stapten, zagen ze alle drie een beetje bleek.

'Nog eens, nog eens!' riep Kees. 'Dat was leuk!'

'Leuk?' zei Jippe. 'Leuheuk?!' Welnee, oen: het was béreleuk! We gingen oerend hard! Het lijkt wel of mijn maag achter mijn oren zit!'

Ze proestten het uit.

'Kanonnen!' zei Robin, 'dat was echt te gek. Mijn haar is helemaal in de war. Gelukkig is mijn geld niet uit mijn zak gevallen. Wat ging dat hard!'

'En hoog!' riep Kees ertussendoor. 'Nog eens!'

'Nee Kees, het is mooi geweest. Wil jij een suikerspin? Dan kunnen Jippe en ik in de Super Shark.'

Maar voordat Kees antwoord kon geven, stond opeens Piet Polies voor hun neus. Tussen de vele bezoekers op de kermis hadden ze hem helemaal niet gezien. Dat was ook niet zo gek, want hij had zijn uniform niet aan! Hij droeg een heel raar bloemetjeshemd en een korte broek met sportschoenen. Om zijn nek hing een grote camera. En op zijn neus stond een zonnebril. Met spiegelglazen.

'Zo jongens,' zei Piet Polies, 'zijn jullie kattenkwaad aan het uithalen?'

'Hé, oom Piet!' lachte Robin. 'Wat ziet u er gek uit! Bent u soms verkleed? Of met vakantie. Haha!'

Ook Jippe en Kees konden hun lachen niet inhouden.

'Ssst, jongens, kom even met mij mee.'

Piet dook een paadje in. Tussen het spookhuis en de schiettent, waar niemand hen kon zien. Daar boog hij zich voorover en zei met zachte stem: 'Vandaag ben ik incognito*. Dat betekent dat niemand mij mag herkennen. Vandaar dat ik mijn uniform niet aan heb.'

'Nou, oom Piet,' fluisterde Robin, 'u ziet eruit als een toerist. Uit Amerika!'

'Dat is precies de bedoeling. Maar nu even serieus, jongens, jullie moeten net doen of je me niet kent. Dan kan ik rustig foto's maken. Niemand, en ik herhaal: NIEMAND, mag weten dat ik Piet Polies ben.'

Piet keek heel erg streng.

'Bent u iemand aan het schaduwen?' vroeg Jippe. 'Of is er soms een boef ontsnapt?'

'Jongen,' zei Piet, 'jij stelt te veel vragen. Ik leg het nog wel eens uit. Maar nu gaan jullie weer de kermis op. Eén ding nog: ik pas wel even op Kees, dan kunnen jij en Robin met z'n tweetjes in de Super Shark. Dat willen jullie toch zo graag?'

Robin en Jippe sprongen een gat in de lucht.

'Jabbadabbadoei!'

Kees trok een sip gezicht. Ze wilde natuurlijk ook mee. Maar ze was te klein, en samen met oom Piet op stap was ook wel stoer. Zeker nu die zo gek was verkleed.

'Oké, dit is de afspraak,' zei Piet Polies. 'Over een half uurtje precies, dus om tien over half vier, zien we elkaar bij de Mount Everest. Je weet wel, het reuzenrad. Dan nemen jullie Kees weer mee en kan ik verder met mijn onderzoek. Afgesproken?'

'Super!' zei Jippe.

'Super Shark, zul je bedoelen!' riep Robin.

En schaterlachend renden de twee jongens weg. Richting de Super Shark.

'Kom mee, Kees,' zei Piet Polies tegen zijn nichtje, 'wij hebben belangrijkere zaken te doen. Wij gaan foto's maken!'

In het reuzenrad zie je tenminste wat!

Een half uurtje later stonden Robin en Jippe zoals afgesproken bij het loket van het reuzenrad. Ze waren nog helemaal beduusd van hun ritje in de Super Shark. Het was de snelste achtbaan op de kermis. De jongens waren bijna misselijk geworden. En niet alleen van het gegil van de meisjes.

Nu stonden ze bij het reuzenrad op adem te komen. Automatisch keek Robin omhoog.

Man, wat is die hoog, dacht hij. Hoog, maar niet zo duur.

Verder kwam hij niet met fantaseren. Want daar kwamen Piet Polies en Kees al aan.

'Joehoe!' riep Kees. 'Kijk eens: van oom Piet gekregen!'

Trots liet ze een enorme roze suikerspin zien.

'Zo jongens, moesten jullie nog overgeven?' Piet Polies grijnsde breed. 'We hebben wat foto's gemaakt. Leuk voor het plakboek. Maar nu moet ik weg. Weet je wat: hier is een tientje. Dan kunnen jullie nog even gezellig het reuzenrad in. Toedeledokie!'

En voor ze het wisten was Piet Polies verdwenen in de mensenmassa.

'Hoera, tien euro!' juichte Jippe. 'Goeie vent, die oom van jullie. Een beetje vreemd af en toe, dat wel, maar goed!'

Even later zette het reuzenrad zich langzaam in beweging. Kees zat in het midden, veilig tussen Robin en Jippe in. De bak waar ze in zaten, schommelde een beetje heen en weer. Langzaam stegen ze op.

Tijdstip: vrijdagmiddag, 15.40 uur

Locatie: de kermis

Personen: Robin, Kees en Jippe. En Piet Polies

'Wat een uitzicht!' riep Jippe toen ze helemaal boven waren. 'Ongelooflijk!'

Het reuzenrad stopte met ronddraaien zodat ze goed om zich heen konden kijken.

'Wow! Daar in de verte, dat is school.' Hij wees naar de toren in de verte.

'En kijk, daar vliegt een meeuw!' riep Kees.

Alleen Robin keek niet in de verte. Hij keek loodrecht naar beneden.

'Daar rent die man met dat gele petje,' zei hij terwijl hij naar beneden wees. 'En zien jullie dat: alle achtbanen en andere apparaten, die staan allemaal stil! Wij ook!'

Jippe en Kees keken nu ook naar beneden. Doordat ze zo hoog zaten in het reuzenrad, hadden ze niet gemerkt dat niets het meer deed. Plotseling was het doodstil op de kermis. Er schalde geen gezellige muziek uit de speakers. Er klonken geen vrolijke geluiden meer in de achtbaan. En de stemmen van kaartjesverkopers zwegen. Alles stond stil. Was de stroom soms uitgevallen?

Toen hoorden ze links en rechts angstig gegil. Uit alle attracties. Want er hingen mensen op hun kop in de Booster. Of ze zaten klem in het spookhuis. Of boven in het reuzenrad.

'Hoe kan dat nou?' zei Jippe. 'Wat raar dat alles stilstaat!'

Het bakje waar ze in zaten, hing wel twintig meter boven de grond. Het schommelde zachtjes heen en weer in de wind. De stilte was griezelig.

'O, o!' piepte Kees.

Maar Robin lette niet op Kees. Hij tuurde naar beneden. Waar was die man met dat gele petje nou gebleven? Daar! Iedereen stond stil, behalve die man. Die rende dwars door alle kermisgasten heen. Langs de trampolines en het spookhuis. Waarom rende hij daar zo hard? En waar naartoe?

'Daar!' riep Robin, 'dat is die engerd van de Mega Mouse!'

Ook Jippe en Kees kregen de man nu in de gaten.

'Hij rent naar de uitgang!' riep Jippe. 'Hij smeert 'm! Robin, maak een foto!'

'Dat is een goed idee, Jippe,' zei Robin. 'Wacht, wel een beetje ver weg. Jongens, even stilzitten.' Hij pakte zijn mobiele telefoon en mikte op de man met het gele petje.

Klik klik klik!

Snel maakte Robin een paar foto's van de man die zich een weg baande door de mensenmassa. Onderweg werd hij steeds door mensen aangeklampt. Wat ze zeiden, konden Robin, Kees en Jippe natuurlijk niet verstaan. Ze zagen alleen hoe de man zich steeds los wist te worstelen. Uiteindelijk verliet hij het kermisterrein achter een paar woonwagens.

'Vreemd!' riep Kees. 'Wat een rare man!'

'Waar gaat-ie nou naartoe? Zou hij soms hulp gaan halen?' dacht Robin hardop.

'De autosloperij! Hij gaat naar de autosloperij!' zei Jippe die de man scherp had gevolgd met zijn ogen. 'Wat gaat-ie daar nou doen?'

De man rende inderdaad richting de autosloperij. Die bevond zich naast de kermis. Eenmaal daar verdween hij tussen de stapels met autowrakken.

Beneden, onder de drie kinderen, liepen de mensen nu als mieren door elkaar. Iedereen leek behoorlijk in paniek.

Op dat moment klonk er een doffe dreun. Alsof er een kanon werd afgeschoten. **Kadoef!**

Even was het helemaal stil. Alsof de dreun iedereen op de kermis tot zwijgen had gebracht.

'Kadaffers!' riep Robin. 'Wat is dat nu weer?'

Al snel werd duidelijk wat er aan de hand was. Blijkbaar had iemand de stroom weer aangezet, want alle apparaten en attracties kwamen langzaam weer in beweging. Lampen begonnen weer te knipperen. Ook het reuzenrad bewoog weer. En overal hoorde je weer muziek.

'Hoera!' riep Kees. 'We bewegen weer!'

Robin hing over de rand van de gondel en tuurde naar beneden. Waar was oom Piet eigenlijk gebleven?

Gelukkig staan we zo weer op de grond, dacht hij.

Onder aan het reuzenrad stapten Robin, Kees en Jippe uit de gondel.

Om hen heen was het een chaos van jewelste. Schreeuwende mensen, gillende kinderen. Op een podium stond een man van de kermis met een megafoon.

'Niets aan de hand, mensen, gewoon een storinkje. Nu is alles weer veilig.'

Het werkte, wat de man zei. De mensen stonden stil, luisterden even en liepen daarna rustig door. Blijkbaar viel het allemaal wel mee.

Maar Robin had zijn twijfels. Hij vond het een rare zaak. Was het inderdaad een gewone stroomstoring geweest? Of was er meer aan de hand?

'Kom, tijd om naar huis te gaan, jongens,' zuchtte hij, 'televisiekijken en eten.'

'Ah nee hè,' zeurde Kees, 'het is net zo leuk.'

Terwijl ze naar de uitgang liepen, bekeek Robin de foto's op het beeldscherm van zijn mobieltje. Ze waren niet heel scherp. Maar je zag duidelijk die rare kerel met dat gele petje.

Dit moet oom Piet zien, dacht hij.

Snel fietsten de drie kinderen naar huis.

De gestolen tijger

Tijdstip: vrijdagavond, 21.00 uur

Locatie: het politiebureau

Personen: Piet Polies, Julia en Gerrit de kermismeester

Die avond zat Piet Polies op het politiebureau zijn verslag uit te tikken. Hij had zich thuis even vlug verkleed en op weg naar het bureau had hij een pizza gehaald. Pizza Margherita, die vond hij de lekkerste, met extra salami.

...plotselinge stroomuitval, gillende mensen, rennende kermisklanten, tikte Piet op het toetsenbord.

'Zo, lekker bezig, Piet?'

Het was Julia, de assistente van Piet. Ongemerkt was ze binnengekomen.

'Ja, eh, even dit rapport aftikken, Julia.'

'Gaat over de kermis zeker? Nou, dan bof je, want aan de balie staat een man van de kermis. Hij wil aangifte doen. Gevalletje diefstal, zegt-ie.'

Julia leunde voorover en keek Piet scherp aan.

'Beetje vreemde kerel, dus ik dacht: ik haal jou erbij.'

'We zijn bestolen!'

Aan de balie stond een lange kerel met een geel petje op.

'Ho ho, rustig aan,' zei Piet Polies. 'Gaat u eerst even rustig zitten, meneer. Uw naam?'

'Gerrit, Gerrit Scheurkogel. Ik ben de kermismeester.'

Piet Polies schreef het op.

'Ik wil aangifte doen. Van diefstal. Op de kermis. Er wordt van alles gestolen.'

'Zo zo,' zei Piet, 'en wat wordt er dan gestolen?'

'Van alles, dat zeg ik toch? Allemaal prijzen: gouden nephorloges, plastic actiefiguren, pluchen beesten. Zelfs een enorme tijger van twee meter lang! Dat was de hoofdprijs in de schiettent. Nou, ik kan u vertellen: wij zijn helemaal niet blij. Wat gaat de politie hieraan doen?'

De man keek behoorlijk boos.

'Tja, een vervelende zaak, meneer. Maar hoe zit het eigenlijk met uw cameratoezicht?'

Piet keek de man ernstig aan.

'Cameratoezicht?' vroeg Gerrit. 'Ja, dat is ook zoiets. De stroom was uitgevallen.'

'Hm,' mompelde Piet, 'dat is niet handig. En de beveiliging? U hebt toch wel beveiliging?'

Gerrit keek verbaasd.

'Ja, natuurlijk: Wesley. Hij is onze beveiliger. Hij bewaakt de kermis. Maar toen het gebeurde, was hij even een patatje aan het halen. Hij heeft niets gezien. Dat was vanmiddag, zo tussen vier en zes uur, denk ik. We willen onze spullen terug.'

'Dat begrijpen wij heel goed, meneer,' zei Piet. 'We moeten een onderzoek instellen.'

Nu leunde Gerrit voorover en trok een geheimzinnig gezicht.

'Het zijn vast die hangjongens uit het dorp verderop. Die hebben al eerder voor rotzooi gezorgd. Als ik u was, zou ik daar eens gaan kijken. Het zou me niets verbazen als zij onze spullen hebben gestolen.'

Piet had genoeg gehoord. Hij had alles netjes opgeschreven en was klaar met de aangifte*.

'Dank voor uw bezoek,' zei hij. 'We zoeken het uit. Tot op de bodem. Gaat u rustig naar de kermis. Zorg dat de camera's aanstaan. En dat die Wesley z'n werk goed doet. Wakker blijven en opletten dus. En als er weer wat gebeurt, moet u mij direct bellen. Begrepen?'

'Goed,' zei de man, 'maar volgens mij moet u die rotjongens hebben. Die hingen vanmiddag al rond op de kermis. Volgens mij komen ze uit Juinen. Daar zou ik maar eens gaan kijken, in Juinen...'

'Ja ja, bedankt voor de tip,' onderbrak Piet hem, 'maar nu moeten we weer aan het werk. Dag meneer.'

En met zachte hand werkten Piet en Julia de kermismeester de deur uit.

'Nou Piet, dit lijkt me appeltje-eitje. Ja toch?' Julia keek erbij alsof ze de zaak zojuist had opgelost.

'Ik weet het niet,' zei Piet, 'ik vertrouw dit zaakje niet. Het stinkt. Volgens mij zit het heel anders in elkaar. En daarom ben ik van plan om...'

Verder kwam hij niet, want uit de computer klonk een gek piepje. *Prrrriet. Prrriet! Prrrriet!*

'Iemand is jou aan het skypen, Piet!' zei Julia. 'Haha, ik wist niet dat jij dat deed!'

'Tuurlijk wel, Julia. Ik ben op cursus geweest: Telefoneren via internet. Reuze handig. En helemaal niet moeilijk! Maar nu snel opnemen. Wie is het?'

'Ja, hallo oom Piet, bent u daar?'

Het was Robin. Zijn stem klonk opgewonden.

'Ha Robin, moet jij niet in bed liggen? Het is al tien uur!'

'Het is vrijdag, oom Piet, dan mag ik altijd wat later. En Jippe logeert hier. Maar moet u luisteren, ik heb vanmiddag wat foto's gemaakt. Op de kermis. Vanuit het reuzenrad. Weet u wel, toen alles plotseling stilstond.'

'Leuk,' zei Piet, 'wat valt er te zien?'

'Nou, vooral veel mensen. En een stel vervelende jongens met brommerhelmen. Maar ook een heel rare kerel. Zal ik de foto's even uploaden en naar u toe mailen?'

'Goed idee, Robin. Doe maar.'

Nog geen minuutje later had Piet Polies de foto's binnen. Hij printte ze uit en bekeek ze aandachtig.

'Interessant...' fluisterde hij. 'Robin, prima werk, echt heel goed. Dankjewel. En nu naar bed!'

Piet verbrak de verbinding. Hij krabde aan zijn achterhoofd. Hij plukte aan zijn kin. Hij fronste zijn wenkbrauwen. En toen had hij plotseling een idee.

'Julia, het is tijd voor een bezoek aan de kermis.'

'Wat? Nu? Het is al hartstikke laat!' Julia begreep er niets van.

Maar Piet Polies had een plan, een superslim plan.

'We gaan speciale middelen inzetten, Julia. Pak jij de nachtkijker* even uit de kluis?'

Tijdstip: vrijdagnacht, 23.30 uur
Locatie: de kermis
Personen: Piet Polies, Julia en een
duistere figuur

Nachtelijk gehannes

'Daar! Bij die woonwagen! Kijk dan! Daar loopt iemand! Dat is toch geen spook?'

Piet siste het tussen zijn tanden. De kermis was uitgestorven. Het was bijna middernacht en pikkedonker. Julia en Piet hadden zich vlak bij de kermis verstopt. Niemand kon hen zien. Want voor alle zekerheid hadden ze zwarte overalls aangetrokken. Dat was een schutkleur: daardoor waren ze bijna onzichtbaar. En nu zaten ze in de struiken op de uitkijk.

'Ik zie niks!' fluisterde Julia. 'Waar dan?'

'Daar, links, bij die woonwagen,' fluisterde Piet, terwijl hij door de nachtkijker tuurde. Met die nachtkijker kon je zelfs in het aardedonker mensen zien. Alleen had de politie maar één nachtkijker, dus Julia moest nog even op haar beurt wachten.

'Kijk dan, daar sluipt iemand,' fluisterde Piet, 'met een enorme pluchen kangoeroe! Eens kijken… Hé, dat is gek: het is Gerrit, de kermismeester!'

'Geef dan!' Julia werd ongeduldig. Ze wilde ook kijken.

Maar Piet hield de kijker nog even vast. Hij zag dat Gerrit langs de woonwagen sloop en bij een grote caravan stopte. Hij keek zenuwachtig om zich heen en begon toen aan de deur van de caravan te morrelen.

'Nu ik.' Julia griste de nachtkijker uit Piets hand. Ze zette hem tegen haar oog en gluurde in de richting die Piet aanwees.

'Daar, meer naar rechts, daar bij die caravan!'

En ja hoor, daar stond Gerrit met een enorme kangoeroe.

Hij had zojuist de deur geopend en vliegensvlug glipte hij naar binnen.

Julia kneep haar ogen tot spleetjes. Wat zag ze alles raar! Alles wat overdag donker was, was nu licht. En alles wat overdag licht was, was nu donker.

'Hé, wacht even, daar komt-ie weer! Maar… maar hij heeft die kangoeroe niet meer bij zich!'

Da's gek, dacht Piet. Heel gek.

'Helemaal niet pluis,' fluisterde Julia. 'Nu begrijp ik ook waarom wij hier op de loer liggen, Piet. Jij denkt natuurlijk dat die man zelf die spullen van de kermis heeft gestolen.'

Piet knikte. 'Heel goed, Julia, heel goed…'

'En dat hij die spullen daar in die caravan bewaart. Maar waarom zou hij dat doen?'

'Precies!'

Piet sprak bijna te hard. Snel dempte hij zijn stem.

'Precies…'

'Gaan we hem oppakken, Piet? En die spullen in beslag nemen? Ik wed dat die caravan vol ligt met gestolen goed.'

'Nee, Julia,' zei Piet resoluut. 'Ik denk dat dit een truc is om onze aandacht af te leiden. Er is namelijk iets veel ergers aan de hand. Daar moeten wij ons op concentreren. Doe de nachtkijker maar in mijn koffertje, dan gaan we ervandoor. Terug naar het bureau. Even snel een verslagje tikken. En dan hopla naar bed. Het is al laat en morgen is het vroeg weer dag. En we hebben een hoop te doen.'

Op hun tenen slopen Piet en Julia het terrein af.

Tijdstip:
vrijdagnacht, 00.00 uur

Locatie:
de kermis

Personen:
Robin, Jippe, Gerrit en
zijn vrouw

De deal.
Maar welke deal?

'Duiken! Het is de politie!'

Jippe dook met fiets en al de berm in. Robin sprong er pardoes achteraan.

Onder het licht van een straatlantaarn had Jippe als eerste de politieauto gezien. Net op tijd konden ze wegduiken. Want niemand mocht natuurlijk zien dat Robin en Jippe midden in de nacht naar de kermis gingen. Ze hoorden allang in bed te liggen.

'Man, dat scheelde niks!' fluisterde Jippe hees.

Ze lagen roerloos in de struiken bij het hek van de kermis. De politieauto reed hun langzaam voorbij. Tussen de takken door konden ze zien dat het Piet Polies en Julia waren. De politieauto reed voorbij en verdween in de nacht.

'Oef! Dat was op het nippertje. Volgens mij hebben ze ons niet gezien. Wat doen we nu?'

Robin klikte zijn zaklantaarn aan en scheen op Jippes gezicht.

'Hé joh, kappen! Ik schrik me gek!'

'Sorry, ging per ongeluk. Goed, die zijn weg. Nu moeten we het terrein op. Naar de woonwagens. Daar zijn de kermisklanten.'

Zo gezegd, zo gedaan. De twee vrienden slopen het kermisterrein op. Doordat de maan wat licht gaf, konden ze zien waar ze liepen.

En dan te bedenken dat ze een half uurtje geleden nog in bed lagen! Ze konden niet slapen, na alles wat er gebeurd was vandaag. Misschien konden ze oom Piet wel helpen met het oplossen van deze zaak. Daarom hadden ze besloten om vannacht op onderzoek te gaan. Om bewijzen te verzamelen. Ongemerkt waren ze het huis uit geslopen zonder dat Robins ouders iets hadden gemerkt. En met de fiets waren ze zo bij de kermis.

Op hun tenen liepen de jongens richting de woonwagens. Hier en daar schenen nachtlichtjes. Ze kwamen langs de Super Shark en de Booster. En daar was het spookhuis, Ghost Castle!

'Brrr, snel doorlopen,' fluisterde Jippe. 'Ik vind het eng hier.'

'Daar,' siste Robin, 'daar zijn de woonwagens, kom op!'

Op een rijtje stonden drie woonwagens. In de middelste waren de bewoners blijkbaar nog niet naar bed. Er brandde licht en er klonken stemmen. Een mannen- en een vrouwenstem. Door het open raam dreven flarden van hun gesprek naar buiten.

'...veel te gevaarlijk. Als ze er achter komen, zijn we de pineut...'

'Niet als je doet wat ik zeg...' Dat was de mannenstem.

Vreemd, dacht Robin, die stem heb ik eerder gehoord, maar waar?

De twee jongens verstopten zich vlak onder het raam van de woonwagen.

'Ik heb een idee,' fluisterde Robin in Jippes oor. 'We gaan ze afluisteren. Zoals de politie dat doet. We gaan het opnemen! Luister goed, ik zeg dit maar één keer. Doe je telefoon uit en zeg niks!'

Jippe knikte. Hij viste zijn mobieltje uit zijn zak en zette hem uit.

Nu pakte Robin zijn mobieltje en belde Jippe. Hij drukte het toestel tegen zijn oor en hoorde de stem van Jippe: '...laat een bericht achter na de piep...'

Er klonk een piepje en toen niks meer. Robin rekte zich uit en legde zijn mobieltje heel zachtjes op de vensterbank van de woonwagen. Ondertussen spraken de twee mensen binnen gewoon door.

'...vind dat we de politie moeten bellen,' zei de vrouw angstig.

'Nee, geen sprake van. Dan sluit de politie de kermis en verdient niemand meer wat. Armoede, wil je dat soms?' De man klonk ongeduldig. 'En volgende week staan we toch weer in een andere stad. Dan maken we met iemand anders een nieuwe deal. Dus niet zeuren..' De man werd boos.

'Een nieuwe deal?' zei de vrouw. 'Met wie heb je dan een deal gesloten? Met die vervelende Dokus zeker?'

'Nou is het afgelopen,' zei de man, 'ga naar bed, vrouw, geen woord meer. Ik ga nog even wandelen.'

Dat was voor Robin het teken om zijn mobieltje weg te grissen. De man kwam naar buiten! Ze moesten zich verstoppen! Snel doken de twee jongens onder de woonwagen. De deur zwaaide open en zware voetstappen klonken op het trappetje.

De man liep weg en de jongens hielden hun adem in. Het was de man met het gele petje!

'Volgens mij was dat een heel belangrijk gesprek,' fluisterde Robin. 'En als het goed is, staat het allemaal op jouw mobieltje. Dat is bewijsmateriaal! Snel naar huis! Dan kunnen we het morgen...'

In de verte zagen ze opeens een blauwe bliksem en een regen van gekleurde vonken. Het leek Starwars wel! En toen klonk er een doffe dreun over het kermisterrein.

Kadoef!

Stiekem afluisteren

Tijdstip: zaterdagochtend, 09.00 uur

Locatie: het politiebureau

Personen: Piet Polies, Julia, Kuijer, Hennie van Vuren, Robin en Jippe

'Hallo! Met het politiebureau? Moet u horen: al mijn alarmen zijn vannacht op hol geslagen!'

De opgewonden stem aan de telefoon was van meneer Flapstra, de bankier.

'Meneer Flapstra, geen paniek,' zei Piet Polies. 'Vannacht is de stad getroffen door een stroomstoring. Duizenden mensen hebben zonder stroom gezeten. De oorzaak is nog onbekend. Maar het lag niet aan uw alarm. Is er iets gestolen? Nee? Mooi zo. We zitten erbovenop. Gaat u maar weer rustig aan het werk.'

Wat een gedoe, dacht Piet. Dat is al de zoveelste die belt.

TRRRING! TRRRRING!

Daar ging alweer de telefoon. Het was de burgemeester.

'Zeg Piet, hoe ver ben je met het onderzoek?'

'Eh, we zijn een heel eind.'

'Goed, mag ik dan vanavond je rapport even zien?'

'We doen ons best, Burgemeester.'

'Mooi, want zo kan het niet langer.'

Ze hingen op.

Piet Polies was die ochtend extra vroeg naar het politiebureau gegaan. En nu stond de telefoon roodgloeiend. Allerlei mensen belden met klachten. Bij de supermarkt waren de schuifdeuren zomaar opengegaan. Bij de juwelier was de beveiligde draaideur uit zichzelf gaan draaien. Dat krijg je als de stroom uitvalt. Allemaal ellende. Computers vallen uit, ijsjes smelten in het vriesvak en de wekker doet het niet meer.

Was Julia maar hier, dacht Piet, dan kon die hem helpen met alle telefoontjes. Maar Julia zou wat later komen. Die moest elke zaterdagochtend haar oude oma uit bad halen. Dat duurde meestal wel even. En aan Kuijer had hij ook niks. De trouwe politiehond lag in de hoek van de kamer te snurken op een kleedje. Veel te laat naar zijn mand gegaan.

'ZZZZnurrrrrrkkk.'

Kuijer liet een enorme wind.

Prrrreutel!!!

'Bah,' zei Piet hardop.

'Wat bah?' zei een man die zojuist het politiebureau was binnengestapt.

'Nou meneer, dat merkt u zo meteen wel. Maar zegt u eens, wat kan ik voor u doen?'

De man stond voor de balie. Hij had een grote druipsnor en in zijn hand hield hij een stuk papier. Nu trok hij plots een vies gezicht. De wind van Kuijer was blijkbaar zijn kant opgewaaid.

'Bekijkt u deze eens.'

Op het papier zag Piet Polies tien grote geweren op een rijtje staan.

'Kwijt. Allemaal kwijt. Mijn broodwinning.'

'Meneer, begint u alstublieft bij het begin. Uw naam, adres en beroep graag.'

Piet pakte een aangifteformulier en begon te schrijven.

'Hennie van Vuren is de naam. Adres: de kermis. Beroep: eigenaar van de schiettent. Ja, vroeger in het leger geweest. Maar vannacht was het weer raak op de kermis. Een enorme knal en opeens was er geen elektra* meer. De tijdklok op mijn kluis kapot. Toen hebben de boeven toegeslagen. Al mijn geweren weg. Gaat u ze zoeken?'

'Ai ai ai, meneer Van Vuren, dat is niet best. Tien geweren verdwenen? Met of zonder kogels?'

'Zonder, die bewaar ik altijd apart. Geleerd in het leger. Is veiliger.'

'Goed, meneer Van Vuren, u hebt goed gehandeld. Gaat u nu maar weer. We zoeken het uit. Die geweren gaan we terugvinden. Reken maar van yes.'

Piet liet de man uit. Op dat moment kwam Julia aanwandelen.

'En, hoe is met je oma?'

'Net uit bad.'

'Mooi, dan kunnen we nu meteen aan het werk. Vannacht is de stroom uitgevallen, in de hele stad. Volgens mij heeft de kermis er

36

wat mee te maken. Er gebeuren daar rare dingen. Het reuzenrad begon zomaar te draaien en er zijn geweren gestolen. En dan Gerrit de kermismeester: eerst doet die aangifte en daarna zien we hem zelf in de weer met allerlei spullen. Heel verdacht allemaal. Maar of hij met de stroomstoring te maken heeft…?'

Julia dacht hard na. 'Weet je wat wij nodig hebben: meer bewijsmateriaal. En getuigen.'

Ze knikte erbij en trok een rimpel in haar voorhoofd.

Op dat moment kwamen Robin en Jippe het politiebureau binnenstormen.

'Hé oom Piet, moet je eens horen wat er in de voicemail van Jippes mobieltje staat.'

'Ho ho,' antwoordde Piet Polies, 'rustig an, vriend. Ik ben met Julia bezig met een heel belangrijke zaak.'

'Maar oom Piet, die foto's die ik gisteravond heb gemaild, die waren toch goed?'

'Ja…'

Piet keek achterdochtig. Waar ging dit naartoe?

'Nou, dit is nog beter!' riep Robin opgewonden. 'Moet u luisteren!'

Hij gaf de mobiele telefoon van Jippe aan zijn oom.

Julia kwam dichterbij staan. Ze wilde niks missen.

Piet drukte 1223 en wachtte.

'*Welkom bij voicemail. U hebt één bericht, ontvangen vannacht om 0.12 uur: "…Nee, geen sprake van. Dan sluit de politie de kermis en verdient niemand meer wat. Armoede, wil je dat soms? En volgende week staan we toch weer in een andere stad. Dan maken we met iemand anders een nieuwe deal. Dus niet zeuren." "Een nieuwe deal? Met wie heb je dan een deal gesloten? Met die vervelende Dokus zeker?" "Nou is het afgelopen, ga naar bed, vrouw, geen woord meer. Ik ga nog even wandelen."'*

Van verbazing was de mond van Piet Polies langzaam opengevallen.

'Hoe komen jullie hieraan? Waar is dit opgenomen? Wie heeft…?'

'Tja, eh, kijk oom Piet, het zit zo: we konden niet slapen gisteren. Na alles wat er gebeurd was. Dus toen zijn Jippe en ik weer naar de kermis gegaan. We zagen jullie nog wegrijden.'

'Wat! Midden in de nacht naar de kermis? Weet je moeder daarvan?!'

Piet was boos. Maar toen dacht hij even na, kalmeerde en zette een aardig gezicht op.

'Vertel 's, Robin, waar is dit gesprekje opgenomen?'

'Nou gewoon, bij de woonwagen van die man met dat gele petje. Die heb ik nou wel drie keer gezien. Die woont daar met een vrouw. Wij zaten onder zijn woonwagen. En toen heb ik naar de voicemail van Jippe gebeld. Slim hè?'

Piet stond paf. Slim? Geniaal, dacht hij. Mijn eigen neef. Die wordt nog eens een heel grote detective.

'Inderdaad, best slim,' zei Julia. 'En daarom gaan wij dat bericht kopiëren.'

Even later was Julia weer terug met het mobieltje van Jippe.

'Zo, even een kopietje gemaakt. Nu kun jij weer bellen en sms'en.'

Ondertussen had Piet Polies zijn portemonnee gepakt.

'Hier, een tientje, omdat jullie ons zo geweldig geholpen hebben. Ga maar lekker kroketten eten bij Harry. En voor deze keer zal ik niks tegen je moeder zeggen.'

Hij gaf Robin een biljet van tien euro.

'Vet cool!' riepen Jippe en Robin in koor. 'Kroketten!'

Ondertussen trok Piet een vies gezicht. 'Wat stinkt het hier… wie heeft…?'

In de hoek van de kamer lag Kuijer rustig te ronken.

Als de kroketten gaar zijn...

Tijdstip: zaterdag, 12.00 uur
Locatie: Harry's Snelbuffet
Personen: Robin, Jippe, Harry, Gerrit en Dokus

'Zo helden! Komen jullie gezellig snacken bij Ome Harry?'

Helden, vroeg Robin zich af, hoezo helden? Hoe kon Harry nou weten dat...?

'Kroketten zeker, mannen? Van die lekkere dikke?'

Robin en Jippe keken in de vitrine van de snackbar. Berenhap, smulrol, speksnek: niet alles zag er even lekker uit. Maar de kroketten van Harry, die waren best te eten.

'Doe maar twee kroketten, Harry,' zei Robin. 'En twee bekers cola.'

'Komt voor de bakker, fijne gozer.'

Harry draaide zich om en gooide de kroketten in het kokende vet.

Robin en Jippe gingen aan het tafeltje bij het raam zitten. Van daaruit konden ze goed zien wie er allemaal voorbijkwam. Het was zaterdag, dus het was druk op straat. Normaal moesten Robin en Jippe voetballen op zaterdagmorgen. Maar het team van de Juinense Voetbalclub had afgezegd. Heel gek, om de een of andere reden konden ze geen elftal op de been brengen.

'Hé, moet je kijken!' Robin wees uit het raam. 'Dat is die kerel met dat gele petje weer! Daar!'

Tussen de winkelende mensen zagen ze hem lopen.

'Hij komt hiernaartoe!' stamelde Jippe. 'Is dat niet link?'

Maar Robin bleef koel.

'Hij kent ons toch helemaal niet,' zei hij. 'Laten we gewoon normaal doen. En heel goed opletten.'

'Inderdaad, dat is waar,' reageerde Jippe opgelucht. 'Die man heeft ons nog nooit echt ontmoet. Ja, behalve die ene keer, toen jij kaartjes kocht voor de Mega Mouse op de kermis. Maar ja, er kopen zo veel mensen een kaartje.'

De man kwam binnen en liep direct door naar achteren. Daar nam hij plaats aan een tafeltje waar al een andere man zat.

Wat een rare man, dacht Robin. Met zo'n rode overall en heel wild haar. Het leek wel een punker.

'Zo, vrienden van het goede leven! Twee kroketten en twe cola!'

Harry zette de bordjes en bekers voor hun neus en veegde zijn handen af aan zijn schort.

'Happerdehap! En smeet akelijk!'

Hard lachend om zijn eigen grap liep Harry naar de twee mannen achter in de zaak om de bestelling op te nemen.

Robin nam een hap van zijn kroket. En spuugde die meteen weer uit.

'Ai ai ai! Heet! Bijna m'n tong verbrand!'

Snel nam hij een slok van zijn cola.

'Poeh, even blussen! Zo, en dan kunnen we nu die twee kerels in de gaten houden.'

'Ja, maar ze mogen niet zien dat we naar ze kijken,' zei Jippe. 'Anders zijn we er gloeiend bij.'

'Dat is een goed idee! Wij gaan ze ONGEZIEN bespieden. Geef je telefoon eens aan.'

Jippe gaf zijn mobieltje aan Robin. Het was een dure, die hij voor zijn verjaardag had gekregen. Je kon er haarscherpe filmpjes mee maken.

'Weet je wat,' zei Robin, 'als ik nou met mijn rug naar die twee kerels ga zitten. En net doe alsof ik bel, dan zien ze niet dat ik ze stiekem aan het filmen ben! Dan zeg jij hoe ik moet gaan zitten.

Anders film ik niks. Ja, de flipperkast daar in de hoek.'

'Superidee,' zei Jippe. Hij zette z'n mobieltje op filmen en gaf hem aan Robin.

'Beetje naar links, ietsje lager… ja! Nu heb je ze precies in beeld! Niet bewegen!'

Ondertussen deed Robin alsof hij een telefoongesprek voerde.

De twee mannen verderop hadden niets in de gaten. Ook Harry wist niet dat de jongens aan het filmen waren. Hij was druk bezig met friet bakken.

Even later stonden de twee mannen op en liepen richting de uitgang.

'Snel!' siste Jippe. 'Afronden! Ze komen eraan!'

'Oké mam, is goed, tot straks!' Robin deed net of hij zijn moeder aan de lijn had.

De mannen hadden blijkbaar niets gemerkt en verlieten de snackbar.

'Snel kijken wat we gefilmd hebben,' zei Robin.

Hij keek op het schermpje en zette grote ogen op. Samen keken ze naar wat Robin zojuist had gefilmd. Het beeld bewoog een beetje en het geluid was niet best. Maar ze zagen heel duidelijk dat de man met het gele petje een dikke envelop aan de andere man gaf. Die keek er even in en stopte hem snel in zijn binnenzak.

Wat had dat te betekenen? Zou het iets te maken hebben met de deal waar die man het vannacht over had? Of met die rare knallen op de kermis? Of met de stroomstoring in de stad? En wie was die andere kerel met dat rare haar?

'Dit moet je oom zien,' fluisterde Jippe. 'Dit heeft vast iets te betekenen.'

'Misschien. Maar wat?' Robin keek peinzend naar zijn kroket.

'Ja, we moeten meteen naar oom Piet.
Misschien heeft hij hier wat aan. Maar
eerst nog even een potje flipperen.
Doen we toch nog aan sport
vandaag!'

De vliegende verrekijker

Tijdstip:
zaterdagmiddag,
14.00 uur

Locatie:
het stadhuis

Personen:
de burgemeester,
Meester Grijpgraag
en Piet Polies

'Heren, ik stel voor om de Raven in te zetten.'

Piet Polies leunde met zijn handen op de grote glimmende tafel in de kamer van de burgemeester. Hij en Meester Grijpgraag waren weer voor overleg naar het stadhuis geroepen.

De burgemeester had net een grote hap van een stroopwafel genomen. 'Raven?' vroeg hij met volle mond. 'Dat zijn toch vogels? Een soort grote kraaien?'

'Nou nee, Burgemeester,' antwoordde Piet, 'de Raven is het spionage-vliegtuigje van het leger. Op afstand bestuurbaar. Onbemand. Er zit dus niemand in.'

De mond van de burgemeester viel open. 'Onbemand? Geen piloot?'

'Precies,' vervolgde Piet, 'en met de Raven kunnen we alles wat er op de grond gebeurt scherp in de gaten houden. Zonder dat iemand hem ziet!'

'Klopt als een bus,' zei Grijpgraag wijsneuzig. 'De Raven, ook wel bekend als de vliegende verrekijker. Dat is een goed idee, Piet! Met de Raven kunnen we het hele terrein verkennen. En verdachte zaken opsporen vanuit de lucht. Ik bel direct met de kazerne.'

'Ho ho, wacht even, hoe werkt die eh… Raven precies?' vroeg de burgemeester.

'Wel, dat is heel eenvoudig,' zei Piet. 'Eerst moet het leger toestemming geven. Pas daarna mogen we hem inzetten. 't Is een vliegtuigje van anderhalve meter lang. Hij weegt maar twee kilo. Met de hand gooi je hem in de lucht en dan kan hij wel een uur

vliegen. Aan boord bevindt zich een camera waarmee hij filmt en foto's maakt. Ook in het donker. Dat is de truc!'

'En wanneer krijgen wij die foto's dan te zien?' vroeg de burgemeester.

'Meteen! Dat is het mooie,' antwoordde Piet. 'Tijdens het vliegen worden de beelden live doorgeseind naar een computer op de grond. En dan kunnen wij hopelijk zien wat er aan de hand is op de kermis.'

'Ongelooflijk...' zei de burgemeester. 'Echt ongelooflijk!'

'Ja,' zei Grijpgraag, 'de techniek staat voor niets. Zal ik dan nu het leger bellen?'

'Een vliegende verrekijker...' mompelde de burgemeester. 'Je moet er maar opkomen. En gaan we die boeven dan pakken, Piet?'

'Welke boeven, Burgemeester?'

'Nou, die boeven die verantwoordelijk zijn voor de stroomuitval in de stad. En dat geknal op de kermis. En die diefstal van kangoeroes en geweren. Het moet afgelopen zijn.'

'Burgemeester, of het boeven zijn, weten we nog niet zeker,' zei Piet Polies. 'Maar wel dat er dingen gebeuren die het daglicht niet kunnen verdragen.'

Zonder na te denken nam de burgemeester nog een stroopwafel uit de trommel. Grijpgraag pakte de telefoon om het leger te bellen. En Piet Polies verliet de kamer. Er moest een hoop gebeuren.

Geen tijd voor ongein

Toen Piet Polies terugkwam op het bureau, waren Robin en Jippe op de binnenplaats met Kuijer aan het spelen. Ze hadden een broodje haring voor hem meegenomen. Daar was Kuijer gek op.

'Jongens, ik heb nu geen tijd voor ongein. Dus zeg wat er is en anders: buiten spelen.'

'Moet u dit eens zien, oom Piet.'

Robin gaf de telefoon van Jippe aan zijn oom.

'Wat nu weer? Eerst die foto's, toen dat bandje. En nu een filmpje zeker?'

'Echt wel! Een filmpje!' zei Robin.

'Nou, het zal mij benieuwen,' zei Piet Polies, maar ondertussen was hij best nieuwsgierig. De jongens hadden hem gisteravond en vanmorgen toch ook al zo goed geholpen!

Ze gingen zitten en Jippe speelde het filmpje af.

Piet zette grote ogen op.

'Jongens, waar zijn jullie mee bezig? Dit is top secret*! Ik moet deze telefoon in beslag nemen.'

'Krijg ik hem dan wel snel terug?' Jippe trok een angstig gezicht.

'Ja ja, Jippe, dat is zo gepiept. We zetten alleen dat filmpje even over. En daarna moet ik naar het commando-centrum in de kelder. Om beelden van de Raven te bekijken.'

De Raven? dacht Robin. Dat is toch…

'De Raven, oom Piet, is dat niet…?'

'Ach laat maar, ik heb al te veel gezegd. Het is een geheime operatie.'

Robin dacht even diep na.

'De Raven, dat is toch zo'n minivliegtuigje? Voor spionage? Dat stond laatst in de krant!'

Op dat moment klonk er een hippe ringtone.

Het was Robins telefoon. Hij keek op het scherm. 'Oei! Het is m'n moeder. We hadden allang thuis moeten zijn! Ja mam, ben bij oom Piet. We komen eraan!'

Robin verbrak de verbinding.

'We moeten weg, oom Piet, mam zit thuis op ons te wachten met macaroni.'

Piet Polies luisterde niet. Hij had plotseling een ingeving.

'Goed jongens, bedankt voor de hulp, en dan nu hup naar huis. Julia en ik gaan deze zaak vanavond nog oplossen.'

Even later daalden Piet en Julia af naar de kelder van het politiebureau. Daar bevond zich het commando-centrum. Overal zag je computers en beeldschermen. Dit was het domein van de heren Snaaima en Sporenberg van de Technische Recherche*. Zoals altijd droegen ze witte overalls en witte mutsjes.

'Avond.'

'Avond.'

De twee mannen groetten zonder op of om te kijken. Gespannen zaten ze naar de beeldschermen te loeren. Het waren beelden vanuit de lucht. Vanuit de Raven. Blijkbaar vloog die pal over het kermisterrein. Het was zaterdagavond, dus het was er behoorlijk druk. Het krioelde van de mensen. Maar daar hadden de mannen geen oog voor. Ze keken naar iets anders. Naar de zweefmolen en het reuzenrad. En hoe hard die gingen. Ze wezen naar het scherm en mompelden wat. Maar Piet zag iets heel anders.

'Wat een rare donkere streep, daar over het hele terrein. Is dat niet een heel lange sleuf?' vroeg hij. 'En die loopt helemaal van hier naar...'

'Kan. Misschien. Mogelijk.'

Snaaima was niet zo'n prater.

'Van die woonwagen naar… Naar dat terrein met al die autowrakken. Is dat niet de autosloperij, naast de kermis?'

Maar het vliegtuigje was alweer voorbij gevlogen.

'Heren, kunnen we die laatste beelden nog een keertje zien?'

Sporenberg spoelde terug.

'Kijk Julia, hier, zie je dat? Het lijkt wel of daar iets ligt ingegraven. Weet je wat, pak die foto's van Robin er eens bij.'

Op de computer toverde Julia de foto's tevoorschijn die Robin uit het reuzenrad had gemaakt.

'Aha!'

Er ging bij Piet een lichtje branden.

'Snaaima, kun jij vanuit de Raven een luchtfoto maken van die vreemde sleuf? Helemaal van de woonwagen naar de autosloperij, graag.'

'Oké,' zei Snaaima.

'En Sporenberg, wat wij nodig hebben is een lijst met telefoonnummers. Van alle gesprekken die de autosloperij de laatste drie dagen heeft gevoerd.'

'Geen probleem, chef,' zei Sporenberg.
'En Julia, dan gaan wij alle sporen, foto's en andere bewijsstukken bij elkaar leggen. De puzzel is bijna compleet.'
'Goed, dan bel ik even voor pizza's. Honger, Piet?'
'Wat dacht je? Als een wolf!'

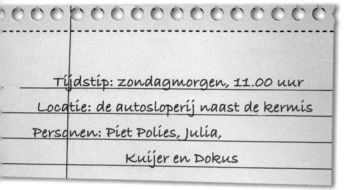

Geknetter op de autosloperij

'Het gedonder heeft nu lang genoeg geduurd,' zei Piet. Hij pakte zijn politiepet van de kapstok en haalde zijn koffertje tevoorschijn. 'Het is tijd voor actie. Julia, rij de boevenwagen maar voor, we gaan iemand ophalen.'

'Hè hè, eindelijk. Weet je al wie?'

'Ha ha!' lachte Piet. 'Natuurlijk! Zorg jij maar dat je de handboeien bij je hebt. Ik verwacht een onrustige arrestatie*.'

Even later reden Piet en Julia naar de autosloperij. Kuijer zat gezellig achterin. Ze parkeerden de boevenwagen tussen de kermis en de autosloperij. Uit de achterbak pakte Piet zijn koffertje.

'Kijk hier, Julia,' zei Piet, 'zie je deze sleuf, deze omgewoelde aarde?'

Hij wees naar een lange sleuf die een duidelijk spoor trok in de zompige grond.

'Die is vorige week gegraven door iemand met kwaad in de zin. Ik mag wel zeggen: met criminele opzet. En dat is dus verboden. Kijk maar.'

Met de koevoet uit zijn koffertje viste hij een dikke elektriciteitskabel uit de sleuf.

'Zie je wel, een kabel. Wat is hij dik, zeg! En deze kabelgoot leidt ons rechtstreeks naar de dieven. Let maar op.'

'Dieven?' Julia trok een verbaasd gezicht. 'Maar, hoe, waarom, wie…? Zijn het dieven?' Ze krabde achter haar oor.

Op dat moment kwam Kuijer aangelopen met een enorm stuk kabel in zijn bek.

'Kijk eens aan, nog meer bewijsmateriaal! Goed werk, Kuijer!' Piet aaide de hond over zijn kop.

Samen volgden ze het spoor van de kabelgoot. Die liep van de kermis naar de autosloperij een eindje verderop. Af en toe hoorden ze een sissend geluid door de goot schieten. Alsof er een ruimteschip voorbij suisde. *Zjoesj zjoesj zjoesj!*

Julia vond het maar griezelig.

'Voorzichtig, Piet, je weet het nooit met stroom. Voor je het weet heb je een schok. En dan schrik je je een hoedje.'

'Ja ja,' zei Piet, 'maak je nou maar geen zorgen, ik weet wat ik doe. Kijk, daar verdwijnt de kabel in een soort container!'

Julia en Piet waren intussen het terrein van de autosloperij op gelopen. Tussen de autowrakken stonden ze nu voor een grote ijzeren container. Hij was rood geverfd en iemand had er met zwarte verf een doodshoofd op geschilderd. Vanuit de binnenkant klonken sissende geluiden.

'Kijk, Piet,' zei Julia, 'de deur staat op een kier!'

Piet Polies kwam voorzichtig dichterbij. Uit zijn koffertje haalde hij een paar zwarte handschoenen die hij vlug aandeed.

'Aan de kant, Julia, dit kon wel eens gevaarlijk worden.'

Nu kwamen er ook rookwolkjes uit de container. En geknetter. En een fel blauw schijnsel. Door alle geluiden, lichtflitsen en rook leek het wel of de container een klein beetje opsteeg. Als een soort ruimteschip.

Nu had Piet er genoeg van. Met een ruk trok hij de deur van de container open.

'Freeze!' riep hij met barse stem.

Binnen stond een kerel tot zijn knieën in een grote kluwen van kabels. In zijn handen had hij een enorme stekker. Het was de kerel van het filmpje van Robin, dat zag Piet meteen. Dat moest Dokus zijn, de autosloper. Die bij Harry's Snelbuffet een envelop van Gerrit had gekregen.

'Laat vallen!' riep Piet streng. 'Doe je handen omhoog! En vlug wat.'

'Dorie! De politie!' riep Dokus. Maar hij deed niet wat hem gezegd was. Grijnzend keek hij Piet aan. En toen stak hij langzaam de stekker in een giga stekkerdoos.

Dat had hij beter niet kunnen doen. Er klonk een oorverdovende ontploffing. Er knalde blauwe bliksem. En een heleboel rook vulde de container.

Piet deinsde terug en wachtte naast de container af.

'Dekking, Julia! Kom die container uit, Dokus, met je handen op je hoofd!'

Er volgde wat gestommel en toen verscheen het hoofd van Dokus. Z'n gezicht was zwartgeblakerd en zijn haar stond alle kanten op. Er was duidelijk wat misgegaan.

'Shit!' stamelde Dokus. 'Ik smeer hem!'

Maar voordat de sloperknecht ervandoor kon gaan, nam Piet Polies hem in de bloemkoolgreep*. Daar had Dokus niet van terug. Uit de ijzeren greep van Piet Polies kon hij niet ontsnappen. Dat was onmogelijk.

'Laat me los! Ik heb niks gedaan!'

'Ja ja, geloof je het zelf,' hijgde Piet. Aan liegen had hij een gloeiende hekel. En met elektriciteit spelen, dat was levensgevaarlijk. Dat wist iedereen.

'Jij gaat mee, mannetje, naar het bureau. Daar praten we wel even verder.'

'Kwilnie!' piepte Dokus.

'Julia, de handboeien!'

Julia toverde de handboeien tevoorschijn en gaf ze aan. Met een handig gebaar deed Piet de boeien om. Dokus stopte met tegenstribbelen.

'Zo, nu spartel je niet meer, hè!'

Kuijer blafte opgewonden.

'Hup, even meewerken, vriend. Dan zoeken we op het bureau uit of je echt niks hebt gedaan.'

'Wat heb ik dan gedaan?' hijgde Dokus.

'Wat krijgen we nou?' vroeg Piet verbaasd. 'Gaan we het zo spelen! In dat geval zal Julia jou even op je rechten wijzen. Julia?'

'Doen we,' zei Julia. 'Dokus, alles wat je zegt, kan tegen je gebruikt worden voor de rechter. Dus uitkijken met wat je zegt. Daar wil ik het bij laten.'

'Die boeien zitten veel te strak,' jammerde Dokus nu.

Maar Piet had geen zin meer in het gezeur van Dokus. 'En nou even je mond houden, ik heb er last van. Julia, neem hem mee. Ik ga nog even sporen zoeken.'

Hij gaf de gevangen Dokus over aan Julia en verdween richting het kermisterrein.

Zijn koffertje hield hij stevig vast.

Tegen de lamp gelopen

Die middag zag het zwart van de mensen op de kermis. Het was een lawaai van jewelste: joelende jongens, harde muziek, botsende autootjes.

Piet Polies had echter geen oog voor het plezier van de mensen. Hij liep recht op de Mega Mouse af.

Achter het loket zat niet Gerrit de kermismeester maar een andere man. En die man zat te knikkebollen.

'Goeiedag, politie,' zei Piet bars.

Tijdstip:
zondagmiddag,
13.00 uur

Locatie:
de kermis

Personen:
Piet Polies, Wesley,
Gerrit en zijn vrouw, Julia

'Ik zie het.' De man schrok wakker. Hij had een blauw jasje aan met daarop een speldje in de vorm van de letter V.

'Security? Dan ben jij zeker Wesley. Waar is Gerrit? Dat weet jij vast wel.'

'Ja, even naar de wc, in zijn woonwagen. Hij had mij gevraagd in te vallen. Zal zo wel terug zijn.'

Piet wist genoeg. Hij pakte zijn telefoon en belde Julia op haar mobieltje.

'Hallo Julia, kom direct weer met de boevenwagen terug naar de kermis.'

'Is goed, Piet. Ben al onderweg.'

Een eindje verder op het kermisterrein zag Piet de woonwagens staan. Voor de middelste stond Gerrit de kermismeester. Piet herkende hem meteen van de aangifte op vrijdagavond. En van het filmpje van Robin.

'Ah, Piet Polies!' zei Gerrit. 'Hebt u onze spullen al teruggevonden?'

'Nee Gerrit, nog niet,' antwoordde Piet. 'Het is nogal onrustig geweest de laatste dagen, hè. Diefstal, stroomstoring. Anders nog iets?' En hij trok zijn meest onschuldige gezicht.

'Alleen vanmorgen,' zei Gerrit, 'een korte storing, niks ergs. Trouwens, bent u al in de Mega Mouse geweest? U krijgt een vrijkaartje.'

'Dat mag ik niet aannemen, helaas. Maar vertelt u eens, staat u al lang op de kermis?'

Gerrit ging zitten op het trappetje van de woonwagen.

'Ach weet u, de kermis zit mij in het bloed. Vertier en spektakel. Dit is het grootste openbare pretpaleis van Nederland. Het wordt alleen steeds moeilijker. De mensen geven hun geld liever uit aan games en internet. Terwijl de kermis veel leuker is: plezier voor jong en oud. Draaien, zwaaien, springen, botsen, gokken en griezelen. En dat moet blijven! Tja, als kermismeester moet je er extra hard aan trekken. Vooral nu de prijzen voor energie verdubbeld zijn.'

'Hoe bedoelt u dat?' Piet Polies trok een wenkbrauw op.

'Eh, niks hoor.' Gerrit begon te zweten.

'Nou,' zei Piet, 'dan vindt u het vast niet erg dat ik even bij u binnenkijk, in uw woonwagen?'

'Liever niet, mijn vrouw ligt te slapen.'

Op dat moment stak zijn vrouw haar hoofd door het raam.

'Dag mevrouw, heel even binnenkijken,' zei Piet.

'Nee, nee, niet doen!' riep Gerrit verschrikt.

Maar Piet was al binnen. En daar op tafel lagen allemaal enveloppen en stapeltjes geld.

Piet pakte zijn telefoon en belde.

'Assistentie, assistentie. Bij de middelste woonwagen graag.'

Razendsnel sprong hij daarna naar buiten en vatte Gerrit in de kraag.

'Wij gaan even naar het bureau, voor verhoor.'

'Maar, maar ik heb helemaal niks gedaan!' riep Gerrit uit.

'O nee? Wat dacht je van diefstal: andermans prijzen pikken? Nou, dat pik ik dus niet. En ook nog onze tijd verspillen. Met een valse aangifte. Dat is strafbaar. Maar wij zijn niet gek bij de politie.'

Piet hield Gerrit stevig vast.

'Nee, het zit heel anders,' piepte Gerrit. 'Ik wilde die pluchen beesten alleen maar bewaren. Om te voorkomen dat de hangjongens ze zouden stelen. Ik wilde alleen maar helpen!'

Hij probeerde zich los te worstelen.

'Ja ja, leuk geprobeerd, maar nu ben je er bij. Met al die enveloppen en dat geld: dat deugt niet. En geweren stelen mag ook niet.'

'Geweren, welke geweren?' Gerrit begreep het niet.

'Van Henny van Vuren, van de schiettent. Allemaal gestolen.'

'Maar daar weet ik niks van!'

Huh, dacht Piet, hier klopt iets niet.

'Maar dat jij stroom hebt gestolen, dat weet ik zeker. Ik heb de bewijzen. Het spel is uit. Hup, mee naar het bureau.'

Juist op dat moment kwam Julia aangerend.

'Hulp nodig, Piet?' zei ze terwijl ze met de handboeien rammelde.

'Nou, als jij mevrouw meeneemt? Enne, handboeien niet nodig.'

En zo werden ook Gerrit de kermismeester en zijn vrouw afgevoerd naar het politiebureau.

Met liegen kom je er niet

Tijdstip: zondagmiddag, 16.00 uur

Locatie: de verhoorkamer op het politiebureau

Personen: Piet Polies, Julia, Dokus, Gerrit, Kneutje

'Hem? Ken ik niet.'

Gerrit schudde zijn hoofd.

Naast hem aan de verhoortafel zat Dokus. De autosloper keek heel kwaad uit zijn ogen.

'Weet je dat zeker?' vroeg Piet Polies.

'Yep, nooit eerder gezien.'

Piet en Julia zaten tegenover Gerrit en Dokus aan de tafel in de verhoorkamer.

'Oké, als je het zo gaat spelen, kijk dan eens naar dit filmpje,' zei Piet.

Op de computer liet Julia het filmpje zien dat Robin in de snackbar had gemaakt.

'Dat zijn jullie toch? Of niet soms?'

Piet werd een beetje boos.

'Het bewijst niets,' zei Gerrit. 'Je mag toch in een snackbar zitten met iemand?'

'Jawel, maar het bewijst dat Dokus en jij elkaar wel degelijk kennen. Trouwens, wat zat er in die envelop?'

'Gewoon, vrijkaartjes voor de Mega Mouse,' loog Gerrit.

Nu had Piet Polies er genoeg van.

'Kom Julia, wij gaan even koffiedrinken. Dan kunnen de heren even nadenken.'

De twee politieagenten verlieten de verhoorkamer en sloten de deur af. Maar ze gingen helemaal niet koffiedrinken. Ze gingen kijken door de one-way-mirror. Dat was een speciale spiegel waar je aan één kant doorheen kon kijken. Zonder dat de mensen in de andere kamer jou konden zien. Ook hing er een microfoontje bij. Om af te luisteren.

Ze zagen dat Gerrit niet bewoog en strak voor zich uit zat te staren. Maar toen begon Dokus te praten.

'Jesses, Gerrit, we zitten in de penarie. Ze weten van onze deal! Hoe komen we hieruit?'

Gerrit werd woedend.

'Rund! Je hebt ons verraden! Dat is geen spiegel, maar een one-way-mirror. Nu weten ze dat wij zaken hebben gedaan. Jij moet je mond houden!'

Piet en Julia kwamen weer binnen.

'Kwassutnie!' brabbelde Dokus. 'Echt niet, hoor! Hij hepput gedaan!' Hij wees naar Gerrit.

'Wat heeft hij precies gedaan?' wilde Piet weten.

'Nou, die goot gegraven en die kabel gelegd.'

Dokus knikte heftig.

'En wie heeft de stroom uiteindelijk afgetapt van die hoogspanningsmast?' vroeg Piet.

'Ja, Dokus natuurlijk,' zei Gerrit en hij wees naar zijn handlanger.

'Lekker is dat. Verrader!' Dokus' ogen spuugden vuur.

Het werd tijd om de mannen uit elkaar te halen en ze gescheiden op te bergen.

'Julia, zet Dokus maar in Cel 2. Met Gerrit ben ik nog niet helemaal klaar.'

Zo gezegd, zo gedaan. Julia vertrok met Dokus en nu werd Gerrits vrouw binnengeleid.

Piet verliet de kamer en ging weer achter de one-way-mirror staan.

'Wat gebeurt er allemaal, Gerrit,' zei zijn vrouw toen de deur weer dicht was.

'Ach, wat weet jij nou, Kneutje…'

Gerrit zat met zijn handen in zijn haar.

'Maar vertel dan, wat was dat dan met die deal?'

Het was duidelijk dat de vrouw van Gerrit van niks wist.

Piet Polies kwam weer binnen.

'Mevrouw, u mag naar huis. Maar uw man houden we nog even hier. Tijd voor de papierwinkel: we gaan een proces-verbaal* opmaken. Gerrit, wil je een bekentenis* doen? Dat zou wel zo fijn zijn. En dan mag je hier blijven logeren. Tot de rechtszaak volgende week.'

Gerrit schopte tegen de tafel.

De rest van de middag was Piet druk bezig met het proces-verbaal. Julia hielp mee. Die kon veel beter typen dan Piet.

'Zo, ons werk zit erop,' zei Piet uiteindelijk. 'Over een dikke week is de rechtszaak tegen Gerrit en Dokus.'

'En tot die tijd zitten ze in voorarrest*?' vroeg Julia.

'Klopt. En nu ga ik bij Robin Studio Sport kijken. Lekker op de bank. We hebben onze rust verdiend, Julia. Jij ook.'

Op dat moment kwam de burgemeester binnen.

'Piet, ik wil alles weten.'

'Burgemeester, geen probleem, Julia heeft het rapport bijna klaar. Neemt u even een bakje koffie. Ik moet er nu vandoor.'

Met een glimlach verliet Piet Polies het politiebureau. Eindelijk uitrusten!

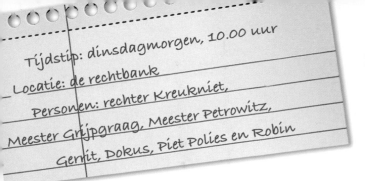

Tijdstip: dinsdagmorgen, 10.00 uur
Locatie: de rechtbank
Personen: rechter Kreukniet,
Meester Grijpgraag, Meester Petrowitz,
Gerrit, Dokus, Piet Polies en Robin

Smoesjes helpen niet

Negen dagen later werd de zaak op de rechtbank behandeld. Piet Polies had ervoor gezorgd dat Robin mee mocht. Tijdens school! Lekker vrij dus.

Robin was best een beetje zenuwachtig. Want kinderen in de rechtbank, dat mocht eigenlijk niet.

De rechter* was Meester Kreukniet. Vooraan in de zaal zaten Gerrit, Dokus en Meester Petrowitz, hun advocaat*. Links zat Meester Grijpgraag, de officier van justitie*. Net als Kreukniet en Petrowitz droeg hij een zwarte toga met een witte bef.

'Daar staan de mannen die Dammerlo en de bevolking in gevaar hebben gebracht!'

Grijpgraag wees met een priemende vinger naar Gerrit en Dokus.

'Uit puur winstbejag* hebben zij vele duizenden kilowatturen stroom afgetapt. En zo de deuren van de bank open laten springen. En duizenden ijsjes laten smelten. Het is een schande!'

Grijpgraag nam even een slok water.

'Dokus en Gerrit, jullie werkten samen. Daar hebben wij bewijzen van. Heel veel foto's, afgeluisterde gesprekken, filmpjes, zelfs luchtfoto's. Het bewijs is rond. Kijk maar mee.'

Op een groot scherm werden nu alle foto's en filmpjes vertoond. Van Robin uit het reuzenrad en vanuit de Raven. Van grote hoogte was de kabelgoot duidelijk te zien.

'Ziet u wel, dankzij listig politiewerk van Piet Polies en zijn helpers is deze zaak zo klaar als een klontje.'

Robin voelde zich enorm trots. Dat waren ZIJN foto's!

'En dan deze opname,' vervolgde Grijpgraag, 'luistert u maar...'

Piet Polies keek Robin met een brede grijns aan. Uit de speakers klonk nu de voicemail van Jippe en daarna de stemmen van Gerrit en zijn vrouw:

'...Nee, geen sprake van. Dan sluit de politie de kermis en verdient niemand meer wat. Armoede, wil je dat soms? En volgende week staan we toch weer in een andere stad? Dan maken we met iemand anders een nieuwe deal. Dus niet zeuren.'

'Een nieuwe deal? Met wie heb je dan een deal gesloten? Met die vervelende Dokus zeker?'

Gerrits mond was opengevallen van verbazing. Hoe kwamen ze daar nou aan?

Grijpgraag ging door.

'Uit deze opnames blijkt dat u samen zaken deed. We hebben zelfs een filmpje van een ontmoeting in de snackbar. We weten wat er in die envelop zat: geld. Duizenden euro's. Verder hebben we foto's door de nachtkijker. En: alle telefoongesprekken die de autosloperij met de mobiel van Gerrit heeft gevoerd. Ontkent u? Of geeft u eindelijk toe? Ik vraag, meneer de rechter, om een zware straf.'

Rechter Kreukniet keek Gerrit en Dokus aan. 'Nou, dat is nogal wat. Wat is daarop uw antwoord?'

Dokus keek naar zijn schoenen.

Maar Gerrit was strijdbaar en ging staan.

'Dat heeft die rotjongen gefilmd! Je kunt niet eens rustig een patatje eten. Mijn privacy!'

'Uw privacy? Daar gaat het hier niet om,' zei de rechter.

'Ach meneer,' zei Gerrit, 'weet u wat het is, de kermis heeft veel stroom nodig. Helaas zijn de prijzen voor energie verdubbeld de laatste jaren. Het stroomverbruik is gigantisch. En wat doe je dan? Dan word je creatief. Creatief met stroom. Je moet wat.'

KORTSLUITING!

'Creatief? Dat kunt u wel zeggen,' zei Grijpgraag boos. 'U hebt herhaaldelijk kortsluiting veroorzaakt in de stad. En de bevolking daarmee opzettelijk in gevaar gebracht. De boel had wel kunnen ontploffen!'

'Dat heb ik niet gedaan,' zei Gerrit. 'Van kortsluiting weet ik niks. Ik had een deal met Dokus: hij zou de kabel aanleggen. En ik zou hem betalen. Nou, ik heb hem betaald, eerlijk en wel!'

Nu wilde Dokus ook wat zeggen, want hij voelde nattigheid.

'Nou meneer, ik heb alleen Gerrit geholpen. Hij had een beetje prik nodig. Maar die kortsluiting, dat wilde ik helemaal niet. Daar zat Gerrit achter. Die wou steeds meer stroom. Toen ging het mis. Hij dwong mij om elektriciteit af te tappen van die mast. Om te verkopen aan de andere kermisklanten. Het is allemaal zijn schuld!'

Grijpgraag klaarde op, eindelijk kwam de zaak in beweging. De twee boeven begonnen elkaar te beschuldigen.

Maar Gerrit hield zich in. 'Ach meneer, zo doen we het altijd. De kermisklanten bouwen hun attracties op. En ik regel de stroom, de elektriciteit dus. Kabeltje leggen en dealtje maken. Mooi toch? En die prijzen? Ach, de mensen zijn hebberig geworden. Ze willen allemaal een hoofdprijs. Dat kunnen we niet betalen. Vandaar dat ik ze even in de caravan bewaarde. En die geweren? Daar weet ik niets van!'

Hm, dacht Robin, wat een hoop smoesjes. Hij zat achter in de zaal, naast oom Piet. Wat zou die ervan vinden?

Nu mocht Meester Petrowitz wat zeggen. Als advocaat moest hij Gerrit en Dokus helpen.

'Meneer de rechter, wat is er nou eigenlijk gebeurd? Die geweren, die zijn door iemand anders meegenomen. Die zijn foetsie. Daar weten Gerrit en Dokus niets van, vrijspraak* dus. En die pluchen prijsbeesten? Die waren helemaal niet gestolen. Die heeft Gerrit alleen maar even bewaard in de caravan. Om diefstal te voorkomen. Heel slim eigenlijk. Weer vrijspraak zou ik zeggen.'

Petrowitz was gaan staan en sprak nu met brede gebaren.

'En ja, die kermisklanten, die moeten ook hun boterham verdienen. We moeten begrip hebben voor hun situatie. Wat is elektriciteit eigenlijk? Een beetje spanning, die door kabels stroomt. Wisselstroom, gelijkstroom, groene stroom. Ingewikkeld, maar is er iets verdwenen? Nee! Gerrit heeft een kabel gelegd, een soort verlengsnoer. En hij heeft Dokus ervoor betaald. Netjes toch! En die kortsluiting konden ze niet helpen. Het waren oude leidingen en die mast was verroest. Dat valt Dokus en Gerrit niet aan te rekenen. Zij hebben niets misdaan. Laat ze vrij!' Petrowitz ging zitten.

Nu greep de rechter in: 'Meester Petrowitz, wilt u zich beperken tot de feiten? Het gaat vandaag niet om geweren. Het gaat hier om een valse aangifte. De politie ging voor niets op zoek naar een dief. En het belangrijkste: het gaat hier niet om kermisklanten. Het gaat om Gerrit en Dokus. En hun deal.'

Zelfs Petrowitz moest toegeven dat er een deal was gemaakt. Dat er een kabel was gelegd. En dat er kortsluiting was ontstaan. Omdat de kabel slordig en illegaal was aangesloten.

Maar nu begon Petrowitz over de meterkast. Dat die kapot was. En dat de mast verouderd was. En dat Gerrit en Dokus die maandag wilden gaan bellen met het elektriciteitsbedrijf. Om te betalen en de meterstand door te geven. Jammer genoeg had Piet Polies de twee mannen zondag al opgepakt. Daarom was het maandag misgegaan.

Nu sprong Grijpgraag op, alsof hij door een wesp was gestoken.

'Ja ja, maandag dus? Jullie wilden die ochtend gaan bellen? En alles netjes regelen zeker?'

Dokus en Gerrit knikten heftig van ja. Dat klopte!

'Maar zondagavond was de kermis al afgelopen en gesloten, toch?'

Tja, dat was slim van Grijpgraag. Nu geloofde niemand de twee kerels meer. En hun advocaat kon ook niets meer verzinnen. De rechter sloot het onderzoek naar de feiten en nam het woord. Hij hoefde niet lang na te denken en kon meteen uitspraak doen.

'De bewijzen tonen het aan: Gerrit en Dokus speelden onder één hoedje. Dat blijkt uit alles. Jullie hadden een deal. Om illegaal stroom af te tappen. Dat is verboden. De schade bedraagt duizenden euro's. Verder hebben jullie de andere kermisklanten bedrogen. Gerrit stak het meeste geld in zijn eigen zak. Hij betaalde Dokus een klein beetje. En Dokus legde een kabel. Niet via de meterkast, maar rechtstreeks aangesloten op de hoogspanningsmast. Zonder dat het elektriciteitsbedrijf het wist. Zo werd elektriciteit afgetapt. Voor de kermisattracties, maar niet betaald. Stroom stelen, dat mag niet.'

De rechter pauzeerde even.

'Verder is de kortsluiting jullie schuld. En daarmee hebben jullie groot gevaar veroorzaakt. Voor de mensen op de kermis en de inwoners van Dammerlo. De brandweer moest zelfs uitrukken wegens brandgevaar. Gelukkig is er niets misgegaan. Geen brand, geen gewonden. En die diefstal van die pluchen beesten? De aangifte van Gerrit was vals. Het was bedacht om de politie op een dwaalspoor te zetten. En zo hun tijd te verspillen. Een slechte zaak. Gelukkig is de kermis alweer ergens anders opgebouwd. Maar wat jullie gedaan hebben, is niet alleen misdadig, maar ook gevaarlijk. Zes maanden naar de gevangenis. Allebei! Deze zaak is gesloten.'

Rechter Kreukniet stond op en verliet de rechtszaal.

Buiten op straat stapte Robin bij Piet Polies in de politieauto.

'Mooi, oom Piet,' zei Robin. 'De boeven naar de gevangenis...'

'...en wij naar Tante Tine. Het is tijd voor wat lekkers!'

Met gierende banden scheurden ze de straat uit.

68

Tijdstip:
dinsdagmiddag, 15.00 uur

Locatie:
de kantine van het
politiebureau

Personen:
Tante Tine, Robin, Jippe,
Kees, Piet Polies, Julia en
Kuijer

De taart van Tante Tine

Die middag zaten ze allemaal in de kantine van het politiebureau.

'Zo,' zei Jippe. 'De boeven zitten vast! En moet je kijken wat Robin en ik hebben gekregen! Een envelop met honderd euro! Van de burgemeester! Hoeveel kroketten zouden dat zijn bij Harry?'

'Kroketten? Vind jij die lekker, jochie?' Het was Tante Tine van de kantine. 'Komt dat even goed uit: hier is een hele schaal vol! En limonade voor iedereen en taart toe.'

'Kanotsen!' riep Robin. 'U weet tenminste wat wij lekker vinden, Tante Tine.'

'Ach jongen, ik sta al zo lang in deze kantine, mij vertellen ze niks, hoor.'

Robin nam een kroket, blies even en hapte het kontje eraf.

'Veel lekkerder dan die van Harry!'

'Tja,' zei Tante Tine, 'oma's recept. Ouderwets lekker. Altijd goed.'

'En de kermis, oom Piet?' vroeg Robin.

'Geen zorgen, die komt volgend jaar gewoon weer terug. Zonder kortsluiting!'

En terwijl iedereen lekker zat te smullen, probeerde Kees de handboeien om de poten van Kuijer te doen. Dat lukte niet, want Kuijer was druk bezig met een broodje haring.

Toen ging de telefoon.

'O nee hè!' Julia nam snel een hap taart en nam op. 'Hawwo? Met de powitie.'

Het was de hoofdcommissaris. Voor Piet Polies.

'Piet, je moet als een speer op onderzoek uit. Er is een bank beroofd! Door boeven met geweren en maskers.'

'Ja hoor, net nu we even rustig zitten. Maar vooruit, ik ben al onderweg.'

Tja, de politie kent geen rust. Overal en altijd zijn boeven bezig met hun misdadige plannen.

Piet Polies liet zijn taart staan en vertrok. Op weg om nieuwe boeven te vangen.

De plattegrond van Dammerlo

1.	Het stadhuis	
2.	Het politiebureau	
3.	De kermis	
4.	De autosloperij	
5.	De voetbalclub	
6.	Harry's Snelbuffet	

7. Robins huis
8. De school
9. De supermarkt

10. Ricky's villa
11. Botendealer Bolk
12. De bank

Piet Polies

en de flappentappers

Met:

1 Piet Polies, politieman
2 Julia, politieagente, assistente van Piet Polies
3 Robin, neefje van Piet Polies
4 Kees, zusje van Robin en nichtje van Piet Polies
5 Jaap Flink, vader van Robin en Kees
6 Paula Flink, moeder van Robin en Kees
7 Sophie, vriendinnetje van Robin
8 Ricky Knacker, klasgenoot van Robin
9 Estella Knacker, moeder van Ricky
10 Berrie Knacker, vader van Ricky
11 Slatko, Roemeense knecht van de Knackers
12 Meneer Bolk, botendealer
13 Meneer Glimmersteen, juwelier
14 Meneer Flapstra, directeur van de bank
15 Burgemeester Klotterbeuk
16 Meester Grijpgraag, officier van justitie
17 Meester Kreukniet, rechter
18 Meester Petrowitz, advocaat
19 Snaaima en Sporenberg,
   de mannen van de Technische Recherche
20 Tante Tine van de kantine

Bank beroofd!

Tijdstip:
woensdagmorgen
7.30 uur

Locatie:
de eetkamer van
de familie Flink

Personen: Robin,
Kees, Paula, Jaap

Bank beroofd: 1 ¼ miljoen euro gestolen

Juinen, dinsdag. In Juinen hebben onbekenden afgelopen nacht de bank beroofd. Ze kwamen binnen via een dertig meter lange tunnel. Het alarm werd onklaar gemaakt en de nachtwaker opgesloten in een bezemkast. Daarna kraakten de inbrekers de kluis en sloegen hun slag. Volgens de politie bedraagt de buit ongeveer 1 ¼ miljoen euro. Bankdirecteur Flapstra van de bank spreekt van een enorm verlies. 'Het waren verse biljetten. In bundeltjes van vijftig euro, met een wikkel eromheen. Het is een ramp!' aldus Flapstra. Pas de volgende ochtend werd de inbraak ontdekt. De nachtwaker verklaarde dat de boeven maskers op hadden en plotseling voor hem stonden. Volgens de politie hadden de boeven een paar maanden geleden de winkel aan de overkant gehuurd en waren daar een tuincentrum begonnen. Vandaar dat niemand het gek vond dat er steeds kruiwagens met aarde de zaak werden uitgereden. De politie staat voor een raadsel en heeft zijn beste mensen op de zaak gezet.

'Hé jongens, ze hebben de bank beroofd!'

Robin verslikte zich zowat in zijn cornflakes. Hij zat met zijn zusje Kees, vader Jaap en moeder Paula aan de ontbijttafel. Jaap legde de krant neer en zette zijn leesbril af.

'Kijk maar, hier staat het, op de voorpagina.'

Robin schoof zijn huiswerk met topo opzij en pakte de krant.

'Ongelooflijk. En wat een bedrag! Wat zou je daarmee doen, mam?'

Paula zette haar theekopje neer en staarde naar het plafond.

'Eens even kijken: een nieuwe keuken, een nieuwe staafmixer, een weekendje naar Parijs…'

'Ja ja,' zei Jaap, 'blijf jij maar dromen. Weet je wat, ik zet heel even de televisie aan.'

Daar keken Robin en Kees van op. Dat deden ze nooit, 's morgens voor school televisiekijken. Zelfs Kees begreep dat er iets bijzonders aan de hand was.

'Dit is het Acht Uur Journaal, goedemorgen beste kijkers. In Juinen is vannacht de bank beroofd. De bankrovers zijn de bank binnengekomen door een tunnel. Die kwam precies uit in de kluis. Volgens de politie bedraagt de buit één miljoen tweehonderdvijftigduizend euro. De beelden van de beveiligingscamera's worden nu bekeken. Het schijnt dat de inbrekers maskers op hadden om herkenning te voorkomen. Van de daders ontbreekt elk spoor.'

'Maskers,' mompelde Robin, 'ze wisten dus dat er camera's hingen…'

Jaap zette de televisie uit.

'Echt weer een zaakje voor Piet,' zei Paula.

'Nou, dat is nog niet zo zeker,' antwoordde Jaap, 'de inbraak is gepleegd in Juinen.'

Toen ging de voordeurbel in Huize Flink. Het was Sophie. Ze zat bij Robin in de klas.

'Hup, naar school,' riep Jaap, 'straks komen jullie nog te laat!'

Robin en Sophie sprongen op hun fiets en raceten de straat uit.

'Hé Soof, heb je het gehoord van die bankroof in Juinen? Met maskers en een tunnel?'

'Ja joh,' riep Sophie terwijl ze de hoek om gingen. 'Zal jouw oom Piet wel weer leuk vinden!'

Robin lachte. 'Dat zullen we nog wel eens zien!'

Er is er een jarig…

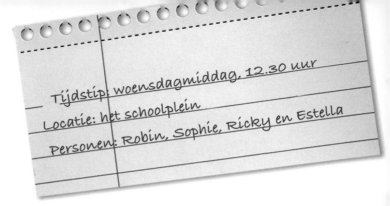

Tijdstip: woensdagmiddag, 12.30 uur
Locatie: het schoolplein
Personen: Robin, Sophie, Ricky en Estella

RRRRRRINNNNNNNNG!

Precies om half één ging de schoolbel.

Samen met Sophie rende Robin naar buiten. Het was woensdagmiddag: lekker vrij dus!

Bij de poort stond Ricky te wachten. Met hem had Robin samen in groep 1 gezeten. Daarna was hij met zijn familie naar Spanje verhuisd. En nu was hij weer terug in Dammerlo, en zat hij weer bij Robin in de klas.

'Hé Robin! Ga je mee? Ik geef vanmiddag een feestje.'

'Een feestje? Ben je jarig dan?'

Ricky begon een beetje te stamelen. 'Ja, eh, kijk, het zit zo. Ik wist nog niet of ik een feestje mocht geven. Mijn ouders waren heel druk. Maar ik kreeg net een sms'je van mijn moeder, en ik mag een paar vriendjes mee naar huis nemen.'

Robin dacht heel even na. Hij was eigenlijk van plan vanmiddag bij Sophie thuis te gaan gamen. Zijn vriend Jippe lag namelijk met griep in bed. En Ricky was wel een beetje raar. Hij had altijd hele dure kleding aan, van speciale merken. Best overdreven. Maar ach, misschien werd het wel leuk, dat feestje. En gamen kon altijd nog.

'Wie komen er nog meer?' vroeg Robin.

'Nou, mijn neef, en de buurjongen,' antwoordde Ricky.

'O. En Sophie? Mag die ook mee?'

'Dat is goed, hoor. Enne, we worden opgehaald door mijn

moeder. Met de auto.'

Op dat moment stopte er een enorme, knalroze SUV* bij de poort van de school. Achter het stuur zat een hoogblonde dame, een soort filmster. Ze parkeerde half op de stoep en zwaaide de deur open.

'Hallootjes! Ik ben Estella, de moeder van Ricky.'

Sophie en Robin kregen een slap handje. Wat zaten er grote ringen aan die hand! Estella droeg veel sieraden. Armbanden, kettingen, ringen, oorbellen. Ze leek wel een kerstboom, vond Robin.

'Nou kiddo's, gaan jullie mee? Of hoe zit dat?'

Estella had een jas aan met tijgerprint en een enorme zonnebril op haar hoofd. De zon scheen niet eens.

'En onze fietsen dan?' wilde Sophie weten. 'Hoe komen onze fietsen dan thuis?'

'Geen probleem, die gooien we achterin. Ruimte genoeg.'

Robin en Sophie tilden hun fietsen in de achterbak van het roze monster en stapten in. De auto had roze bekleding en rook naar shampoo.

'Nog even langs de super, jongens. Cola halen en snoep. Kunnen jullie mooi even helpen dragen. Doen jullie je gordels om? We willen natuurlijk geen bekeuring!'

Estella keek in de binnenspiegel of haar haar wel goed zat. Daarna gaf ze gas en reed ze met gillende banden weg.

Robin en Sophie zaten op de achterbank. Op de rug van de voorstoelen waren beeldschermen ingebouwd.

Kanonnen, dacht Robin, dat is cool! Films kijken in de auto! En gamen!

Maar voordat hij een filmpje kon aanvragen, waren ze al bij de supermarkt. Estella parkeerde voor de deur en samen liepen ze de winkel in.

Met een grote winkelwagen volgden ze Estella die links en rechts zakken knabbels pakte en in het wagentje gooide. Hamka's, wokkels, paprikachips... Van alles nam ze twee grote zakken. Uit het vriesvak pakte ze tien pizza's. En verder belandden er nog tien blikken knakworst, een zak marshmallows en een zak met repen in de winkelwagen. Je kon er de hele klas te eten van geven, dacht Robin.

'Oké, jongens, alleen de drankjes nog. Voor in de automaat. Twintig blikjes cola. Twaalf blikjes sinas. Twaalf blikjes ijsthee. Twaalf blikjes cassis. En twaalf blikjes sportdrank. Dat moet genoeg zijn. Zet alles maar in de kar.'

Tevreden telde Estella de blikjes, terwijl Ricky en Robin ze in de winkelwagen legden.

'Hoeveel gasten komen er eigenlijk op jouw feestje?' wilde Robin weten.

'Nou,' antwoordde Ricky, 'jullie dus. En die andere twee.'

Robin trok een frons.

'Maar al die blikjes dan? En al die chips en dat snoep en die pizza's? Is dat niet wat veel?'

'Ach, dat lijkt maar zo. Mijn ouders houden ervan om flink uit te pakken. Dat doen we altijd.'

'Kom, jongens, geen getreuzel. Hup, in de rij, dan kunnen we afrekenen en naar huis.'

Bij de kassa pakte Estella een biljet van tweehonderd euro uit haar portemonnee.

Wow, dacht Robin, een echt briefje van tweehonderd euro! Dat zag je niet vaak!

'Sorry mevrouw,' zei het meisje achter de kassa, 'die mag ik niet aannemen. Te groot.'

Robin zag hoe het meisje het geelbruine biljet omdraaide, het uitgebreid bekeek en weer teruggaf.

'O sorry,' zei Estella, 'dat wist ik niet.'

'Hebt u het niet kleiner?'

Ietsje verderop zag Robin een geldautomaat staan.

'Mevrouw Estella, daar staat een geldautomaat. Daar kunt u geld pinnen.'

Robin wees naar de automaat naast de bloemenhoek.

'Dank je, jongen, maar dat is niet nodig, hoor. Ik heb hier ergens nog wel wat kleingeld.'

Estella begon te graven in haar handtas. Na enig zoeken viste ze een bundeltje biljetten van vijftig euro tevoorschijn. Om de biljetten zat een soort wikkel.

'Hebt u een bonuskaart?' vroeg het meisje van de kassa.

'Nee hoor,' zei Estella, 'wij hebben geen korting nodig.'

Ze betaalde met briefjes van vijftig en stak het wisselgeld in haar portemonnee. Daarna vertrokken ze met de boodschappen naar de auto.

'Zo, en dan nu naar het feestje. Papa heeft een verrassing!'

Jarig zijn is ook niet alles

Tijdstip: woensdagmiddag, 15.00 uur

Locatie: thuis bij de familie Knacker

Personen: Ricky, Berrie en Estella Knacker, Robin, Sophie,

twee vriendjes en meneer Bolk

'Wie wil er een broodje knakworst? Ja, je heet Knacker of niet.
Haha!'

In de keuken van de familie Knacker stond de vader van Ricky
met een grote schaal dampende knakworsten. De buurjongen en het
neefje graaiden gulzig een worst van de schaal.

'Ja, pak maar, we hebben genoeg. Mosterd?'

Robin schaamde zich een beetje. Hij had geen cadeautje bij zich
voor Ricky. Maar ja, ze waren ook zo plotseling uitgenodigd. Er was
helemaal geen tijd geweest om iets te kopen.

'Geeft niks, joh,' zei Ricky, toen Robin het tegen hem zei. 'Ik heb
alles al. Nou ja, bijna alles.'

Robin keek eens goed om zich heen. De villa van de familie
Knacker was enorm luxe ingericht. Overal zag je marmeren vloeren.
In de hal stonden Chinese vazen en overal hingen spiegels in gouden
lijsten aan de muur. Alles was groot en glom. Er was een speciale
televisiekamer met een reusachtig scherm en knoerten van speakers.
In een kast stonden honderden dvd's. Op het scherm werd Harry
Potter vertoond. En verder was er een zitkamer met de grootste
bank die hij ooit gezien had.

Tjonge jonge, dacht Robin, wat een bijzondere spullen hebben ze
hier. Wat voor werk zouden de ouders van Ricky eigenlijk doen?

Verder kwam hij niet met fantaseren. Want daar stond Ricky bij
een felverlichte blikjesautomaat. Een blikjesautomaat! Thuis!

'Moet je deze eens zien,' zei Ricky, 'weet je hoe die werkt?'

'Met een munt natuurlijk,' zei Sophie, 'dat weet toch iedereen.'

'Nee hoor,' zei Ricky, 'hier heb je geen geld voor nodig. Let maar eens op!'

Hij pakte een voetbal die in de hoek lag, nam een aanloop en schopte de bal hard tegen de blikjesautomaat.

KABAF!

Meteen viel er een blikje cola in de bak.

'Ha ha, wie wil er cola?' Ricky gaf de bal aan Robin. 'Nu jij.'

Robin schopte de bal tegen het apparaat en ja hoor, daar was weer een blikje. De andere kinderen mochten het ook proberen. Na elk raak schot viel er een blikje in de bak.

'Laten we naar buiten gaan,' zei Ricky, 'ik heb honger.'

De kinderen liepen achter Ricky aan door een lange gang. Op het terras naast het huis stond een mobiele pizza-oven. Een soort Italiaanse ober met een grote snor schoof net een pizza de gloeiende oven in.

'Ies lekkere pizza! Ies pizza van Tony!' De man glunderde van oor tot oor.

Op het gazon stond een gigantisch springkussen. Het had de vorm van een sprookjeskasteel.

'Kom op jongens, wie wil er pizza?' riep Ricky. 'Of gaan we eerst even lekker springen?'

Toen iedereen was uitgesprongen, blies Ricky op zijn vingers.

'Kom, allemaal naar binnen, jongens. Tijd voor mijn cadeau.'

Met z'n allen liepen ze naar de andere kant van het huis. Ricky deed een deur open en daar stonden zijn ouders. Onder een grote kroonluchter met flikkerende lichtjes. De gordijnen waren dicht.

Gek, dacht Robin, wie doet nou midden op de dag de gordijnen dicht?

'Zo Ricky, en dan nu je cadeau,' zei Ricky's vader plechtig.

Hij droeg een streepjespak met een zilverkleurige das. Estella zat met een glaasje champagne op een barkruk.

'Alsjeblieft.' Hij overhandigde zijn zoon een soort afstandbediening en deed een stapje opzij. Ricky drukte op een knop en langzaam schoven de gordijnen open.

Aha, dacht Robin, het zijn elektrische gordijnen!

Door het raam konden ze nu zien wat er in de achtertuin gebeurde. Naast het zwembad stond een vrachtwagentje met een hijskraan. Die werd bediend door een man in een blauwe overall. Aan de hijskraan bungelde een glanzend gele waterscooter. Langzaam zakte het glimmende apparaat naar beneden.

PLONS!
En daar dobberde
de waterscooter in het zwembad van de familie Knacker.
'Wat? Een gele? Ik wil helemaal geen gele!' Ricky keek zuur.
'Wacht maar, jongen, tot je er eenmaal op zit,' zei zijn vader met
een grote grijns.
Robin en de andere kinderen keken elkaar verbijsterd aan. Ricky
kreeg een waterscooter voor zijn verjaardag! En nu vond hij dat
het niet de goede kleur was? Was die jongen verwend of zo? Van
verbazing durfde niemand wat te zeggen.

'En ik wilde een Sea-Doo! Dit is een Yamaha uit China. Dit is niet de goeie!'

'Maar Ricky, hij is toch prachtig,' riep Estella. 'En hij past perfect bij onze speedboot. Die is ook geel.'

'Nee, mam, jij begrijpt er niks van. Met deze word ik uitgelachen.'

'Uitgelachen?' zei zijn vader. 'Deze knaap heeft wel vijftig pk*! Dat is toch fantastisch!'

Nu trok Ricky echt een vies gezicht.

'Maar vijftig pk? Veel te weinig. Pap, dit is echt niet leuk. Ik wil een andere.'

Hij deed zijn armen over elkaar en zette een pruillip op.

Robin was inmiddels naar buiten gelopen om de knalgele waterscooter te bewonderen die doelloos in het zwembad ronddreef. Iedereen leek verbaasd over de hele situatie. Ook de man in de blauwe overall zei niks.

'Goed dan,' zei Ricky's vader na enig nadenken, 'we gaan hem ruilen.'

'Jiehaa!' Ricky sprong een gat in de lucht. 'Vanmiddag nog!'

'Nou, vooruit dan maar,' zei Pa Knacker.

'Mogen we mee, pap? Allemaal? Het is toch mijn feestje?' Ricky keek zijn vader smekend aan.

'Ach, waarom ook niet,' zei die, 'we hebben nog wel even.'

Even later stapten ze allemaal in de auto's. Ricky en Robin mochten meerijden met de man van de waterscooter. Sophie en de anderen reden erachteraan met de vader van Ricky in zijn zwarte Porsche. Op weg naar de showroom om een andere waterscooter uit te zoeken.

Liever een rooie

'Zo, dus jongeheer Ricky wil een Sea-Doo?'

Meneer Bolk had het hele gezelschap binnengelaten in zijn showroom. Overal stonden boten en waterscooters op houten blokken. De ene glom nog mooier dan de andere.

'Wow,' fluisterde Robin tegen Sophie, 'wat een prachtige boten! Wat zouden die kosten?'

'Nou,' zei Sophie, 'veel te veel voor mijn ouders. Gelukkig voor Ricky doet zijn vader er niet moeilijk over.'

'Deze, dit is hem! Deze wil ik, pap!'

Ricky wees een knalrode waterscooter aan. Het was een Mini Waterscooter, speciaal gemaakt voor kinderen. Pa Knacker keek op het prijskaartje en knikte naar meneer Bolk.

'Vooruit dan maar. Alleen eerst even een proefvaart maken. Dan weten we zeker dat het de goeie is.'

'Vet cool, pap!' riep Ricky blij. 'Mogen Sophie en Robin achterop?'

'Op één voorwaarde, jongens,' zei meneer Bolk, 'zwemvesten aan!'

Even later werd de rode waterscooter te water gelaten, in het kanaal achter de showroom.

Ricky, Robin en Sophie hadden zwemvesten aangetrokken en namen plaats op het zadel.

'Goed vasthouden, jongens,' zei meneer Bolk, 'en niet te hard varen. Veiligheid is het belangrijkste. We willen geen ongelukken, hè.'

'Yes!' riep Ricky. 'Dit is super vet. Hou je vast, daar gaan we!'

Met het sleuteltje startte hij het rode monster. Grommend sloeg de motor aan.

ROOAAARRRRRR!

En daar gingen ze. Eerst zachtjes. Toen ze midden op het water waren, gaf Ricky meer gas. Robin hield Ricky vast en Sophie hield Robin vast. De golven klotsten over hun voeten.

'Ik ga een donut doen,' riep Ricky boven het gebrom van de scooter uit.

'Hij bedoelt een achtje!' schreeuwde Robin over zijn schouder. 'Hou je goed vast!'

Ondertussen stonden de anderen op de steiger te kijken naar de capriolen van Ricky. Meneer Bolk, Ricky's vader, het buurjongetje en Ricky's neefje. Die wilden natuurlijk ook een ritje maken, maar ze moesten nog even op hun beurt wachten.

'Nou, meneer Knacker,' zei Bolk, 'die jongen heeft er duidelijk lol in. Kijk hem eens varen. Hij heeft dat apparaat al aardig onder de knie. Inpakken of thuisbezorgen?'

'Laten we even afwachten wat Ricky er zelf van vindt. Dan kijk ik nog even wat rond in de showroom.'

Pa Knacker verdween naar binnen.

Ricky legde aan bij de steiger. Robin en Sophie stapten af en de twee andere vriendjes stapten op. Daar gingen ze weer, het water op. Ricky gaf flink gas en veroorzaakte grote golven. Een paar eenden stoven van schrik uiteen. Hij bestuurde de scooter alsof hij hem al jaren bezat.

Robin en Sophie waren de showroom binnengegaan. Tussen de uitgestalde boten keken ze hun ogen uit.

'Kadaffers, Sophie!' fluisterde Robin. 'Wat een joekels! Weet je wat, ik maak een foto van jou bij die grote witte knoert.'

Met zijn telefoon maakte Robin een foto van Sophie die tegen het enorme jacht leunde.

'Lijk ik nu een beetje op Madonna met haar nieuwe boot?'

Ze proestten het uit.

Een eindje verderop stond een kleiner bootje opgesteld.

'Hoe hard zou deze gaan?' vroeg Robin zich hardop af.

Hij wees naar de prachtige motorboot. Het had een glimmend mahoniehouten dek.

'Jongen, dit is een Riva. De Ferrari onder de speedboten. Mooier bestaat niet.'

Het was de vader van Ricky. Ongemerkt was hij bij hen komen staan. Met zijn hand streek hij liefdevol over de boeg van de boot.

'Dit is een van de mooiste boten aller tijden. Ik denk dat ik er eentje voor mezelf ga kopen.'

Pa Knacker verliet de showroom. Door de grote ruiten zag Robin dat hij naar zijn auto liep en uit de achterbak een koffer haalde. Hij sloot de klep en kwam met de koffer terug in de showroom. Meteen liep hij naar de balie achter in de zaak.

'Wat zou er in die koffer zitten?' fluisterde Robin in het oor van Sophie.

'Ssst! Stil zijn en kijken!'

Vanachter een plantenbak zagen ze hoe Ricky's vader de koffer op de balie legde. Daar stond meneer Bolk met een grote pot koffie.

'Koffie, meneer Knacker?' vroeg Bolk vriendelijk.

'Nee, betalen,' hoorden Robin en Sophie hem antwoorden.

Hij opende de koffer.

'Cash graag.'

Meneer Bolk zette grote ogen op.

'Maar, maar…' stamelde hij.

Robin rekte zich uit om te zien wat er in de koffer zat, zonder dat de twee mannen hem zagen.

'Wat zit er in de koffer?' siste Sophie.

'Wat er in zit?' fluisterde Robin. 'Geld! Een heleboel! Met wikkels eromheen!'

'Vlug, maak een foto!'

Snel pakte Robin zijn telefoon en vanachter de plantenbak maakte hij stiekem een paar foto's.

Op dat moment ging de deur van de showroom open en kwamen Ricky en zijn twee vriendjes binnen. Blijkbaar waren ze klaar met varen.

'Misschien wil ik toch liever een jetski, pap.'

Pa Knacker draaide zich langzaam om. Meneer Bolk sloot de koffer af en zette hem achter de kassa.

'Wat krijgen we nou? Een jetski? Vergeet het maar. Daar moet je zestien voor zijn. Bovendien heb ik de waterscooter al betaald. Die vond je toch leuk?'

'Ha ha! Geintje, pap.'

Ricky en zijn vader moesten hard lachen en Bolk lachte mee.

'Een jetski! Op jouw leeftijd, hoe kom je erbij!' Pa Knacker grijnsde breed.

Nu kwamen Robin en Sophie tevoorschijn.

'En?' vroeg Robin. 'Ben je nu blij met je verjaardagscadeau?'

'Reken maar,' antwoordde Ricky opgetogen. Hij stak twee duimen omhoog.

'Over rekenen gesproken, meneer Bolk,' zei Ricky's vader, 'ik wil graag ook nog een Riva. Zo'n bootje lijkt me wel wat. Lekker blaffen over het water. En waterskiën natuurlijk. Dat vindt mijn vrouw leuk.'

'Een Riva? Dat prachtexemplaar?' Meneer Bolk was helemaal verbluft. 'Maar, weet u wel wat die kost?'

'Jazeker!' antwoordde Knacker. 'Het is niet niks, maar toevallig kan het eraf.'

'Dat is heel mooi, meneer Knacker, maar deze is voor iemand anders. Ik zal een andere moeten bestellen. Dat wordt dan zaterdag.'

'Nou, dat moet dan maar,' zei Knacker, 'dan komen we zaterdag terug. En die waterscooter, kunt u die thuis afleveren?'

'Natuurlijk. Komt voor de bakker, meneer Knacker!'

Meneer Bolk hield de deur open en op de parkeerplaats gaf hij Knacker een hand.

'Zo jongens,' zei Knacker toen ze met z'n allen in de auto zaten, 'voor iedereen hebben we nog een cadeautje. Ricky, deel maar uit.'

Uit een plastic tasje toverde Ricky vier enveloppen tevoorschijn.

'Een envelopje. Met inhoud. Dan kunnen jullie iets leuks kopen.'

In de envelop zat een cadeaubon ter waarde van vijftig euro.

Robin en de andere kinderen zetten grote ogen op. Vijftig euro! Daar kon je een game van kopen! Of de grootste doos Lego!

'Pas op, jongens,' zei Pa Knacker lachend, 'ze zijn een beetje nat. Droogt vanzelf wel op. En dan is het feestje nu voorbij. Ik breng jullie naar huis.'

En zo werden alle kinderen naar huis gebracht.

Op de achterbank zat Robin te peinzen. Zomaar even een speedboot kopen. Alsof het niks is. Een waterscooter voor je verjaardag, waanzinnig. En dan betalen met een koffer vol met geld. En dan ook nog een cadeaubon van vijftig euro! Rare mensen, die Knackers...

Tijdstip: woensdagavond, 20.00 uur
Locatie: thuis bij de familie Flink
Personen: Paula en Jaap Flink, Kees,
Robin en Piet Polies

Lekker voetbal kijken

Die avond zat Piet lekker op de bank bij zijn zuster Paula. Hij en Robins vader Jaap keken meestal samen naar voetbal op televisie.

'Jij nog een biertje, Piet?' vroeg Jaap vanuit de keuken.

'Lekker, Jaap, doe maar. Gezellig!'

Piet was die dag naar Juinen geweest met Julia. Om te kijken of ze sporen konden vinden in de bank die beroofd was. Snaaima en Sporenberg van de Technische Recherche* waren er ook. Die speurneuzen in hun witte pakken konden hun lol op. De inbrekers hadden een hoop sporen achtergelaten. Piet liet het onderzoek nu verder aan hen over. Het was tijd om eens lekker te relaxen!

'Zeg Piet,' begon Jaap, 'die bankroof. Ben jij daar mee bezig? Toch wel een vette buit!'

'Ja, het is nogal wat: meer dan een miljoen euro weg! En dan die tunnel, heb je dat gehoord?'

'Ja, op het nieuws. Heb je al een idee wie het gedaan heeft?'

Piet keek zijn zwager zogenaamd streng aan.

'Jaap, reken maar dat mijn beste mensen op de zaak zitten. En trouwens: jij vraagt te veel. Je lijkt Robin wel. Ha ha! Laten we voetbal kijken.'

Lachend installeerden ze zich voor de buis. Met een grote bak chips en twee flesjes bier. Ze klonken met hun flesjes en de wedstrijd begon. Maar omdat het een oefenpotje was, gebeurde er niet zo veel.

Beetje pielen op het middenveld. Paar kleine kansjes. Maar helemaal geen schoten op doel. En zeker geen goals. Piet viel bijna in slaap. Ook Jaap zat half te dommelen. Wat een suffe wedstrijd!

Toen ging de voordeur open. Het was Robin.

'Jee, Robin, wat ben jij laat, het is al bijna negen uur!' zei Paula. 'Was het een leuk feestje?'

'Leuk?' Robin gooide zijn schooltas in een stoel en plofte op de bank. 'Het was heel raar. Best maf eigenlijk. Moet je horen: we kregen allemaal een waardebon van vijftig euro. Kijk maar!'

Hij haalde de cadeaubon tevoorschijn en liet hem aan zijn moeder zien.

'Wat idioot. En iedereen kreeg er eentje?' vroeg Paula.

'Ja, gek hè, en weet je wat Ricky zelf kreeg? Een waterscooter!'

'Een waterscooter?' Jaap draaide zich om naar Robin. Het was rust bij de wedstrijd.

'Wat overdreven. Weet je wat zo'n ding wel niet kost!'

'Nou, toevallig wel,' antwoordde Robin. 'Eerst vond Ricky dat ding niet mooi. Dus gingen we met z'n allen naar de botendealer. En daar heeft hij een andere uitgezocht.'

Robin vertelde het hele verhaal. Van Estella in haar roze SUV, van het biljet van tweehonderd euro, van het feestje, van het enorme huis, van de blikjesautomaat, van de pizza-oven, van het zwembad, van de dure auto's, van de gele waterscooter, van de showroom, van de proefrit. En van de koffer.

Piet Polies ging rechtop zitten.

'Een koffer, met geld?' vroeg Paula.

'Paula, laat dit maar even aan mij over,' zei Piet. 'Robin, weet je het zeker? Dus de vader van Ricky betaalde die waterscooter met een koffer vol geld? Heb je dat duidelijk gezien?'

'Ja, oom Piet,' antwoordde Robin, 'zo veel geld had ik nog nooit bij elkaar gezien. En dat geld lag allemaal heel netjes in die koffer, met wikkels eromheen.'

'Gek,' mompelde Piet, 'heel gek.'

'Ja,' ging Robin door, 'en hij bestelde ook nog een heel dure boot voor zichzelf. Die gaat hij zaterdag halen. Trouwens, die waterscooter kostte wel achtduizend euro. Dat stond op het prijskaartje.'

Paula en Jaap waren verbluft. Je kon de verbazing van hun gezichten lezen. Het was natuurlijk ook wel een gek verhaal dat Robin vertelde.

'Wat doet die vader van Ricky eigenlijk?' vroeg Jaap. 'Is die soms voetballer?'

'Kweenie,' zei Robin, 'hij zag eruit als een soort zakenman. In een heel deftig pak.'

'Ja ja, dat zal wel,' zei Piet. 'En waar woont dat vriendje van jou precies, Robin?'

'Ergens in de Goudkustwijk, bij die nieuwe villa's. Aan het water. De vader van Ricky kan zo met zijn nieuwe boot van de showroom naar huis varen. Dat is natuurlijk best wel handig.'

'Ja, vooral als je een boot hebt,' zei Paula dromerig.

'Klinkt allemaal een beetje patserig,' zei Jaap. 'Ik weet niet of we Robin wel met deze mensen...'

Robin onderbrak zijn vader.

'Ik heb trouwens foto's! Van die boten in de showroom. En van Ricky's vader! Met die koffer!'

Nu sprong Piet op.

'Foto's? Robin, die foto's zijn belangrijk. Mag ik ze even bekijken?'

'Tuurlijk, oom Piet. Weet je wat, ik zet ze wel even op een USB-stick. Dan kunt u ze meenemen en thuis bekijken.'

Robin rende naar zijn kamer en zette de foto's van die middag op een stick.

'Jongens, ik ga ervandoor,' zei Piet. 'De tweede helft sla ik maar over. Er gebeurt toch bijna niks. Nog even naar het bureau.'

'Hè, wat ongezellig, Piet,' zei Paula, 'wil je niet nog een biertje?'

'Nee,' zei Piet Polies resoluut, 'ik moet nog even aan het werk.'

Hij deed zijn jas aan en zette zijn pet op.

Robin liet zijn oom uit en gaf hem de USB-stick. Piet stak de stick veilig in zijn binnenzak.

'Nou, tot ziens dan maar weer, Robin, enne: goed gedaan, jochie!' Hij gaf zijn neef een vette knipoog.

Onderweg naar het politiebureau voelde Piet Polies een spannend soort opwinding. Een bankroof, een koffer met geld: zou het soms iets met elkaar te maken hebben?

Gestolen geld? Of zwart geld?

Tijdstip: donderdagochtend, 10.00 uur
Locatie: de showroom van meneer Bolk
Personen: Piet Polies en meneer Bolk

De volgende ochtend zat Piet alweer vroeg in zijn auto. Op weg naar Bolk de botendealer. Het was tijd om daar eens een paar vragen te stellen.

Gisteravond had Piet op het bureau de foto's van Robin bekeken. En dan vooral de foto van de vader van Ricky. Het was niet zo'n heel goeie foto en Piet had hem uitvergroot. Jammer genoeg herkende Piet de man niet. Ook stond Ricky's vader niet in het

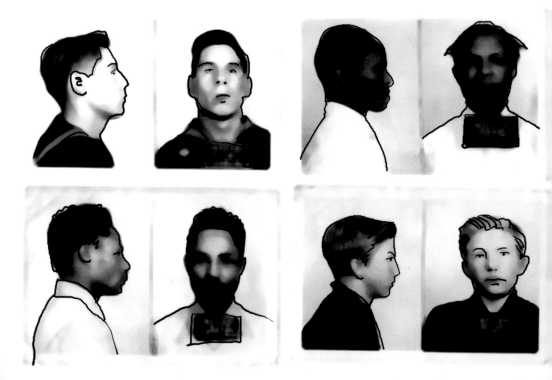

Grote Boevenboek. Dat was een soort smoelenboek met foto's van alle bekende boeven. Boeven die vastzaten in de gevangenis en boeven die voortvluchtig waren. Maar helaas: geen match dus.

Dood spoor, dacht Piet. Dan maar eens een praatje maken met Bolk. Toch vreemd dat een botendealer zomaar een koffer met geld aanneemt van een klant.

Piet parkeerde zijn auto en ging naar binnen bij de showroom. Achter in de zaak stond meneer Bolk. Piet zag duidelijk dat hij schrok.

'Môge, m-m-meneer, wilt u k-k-koffie?' stotterde Bolk.

'Nee, maar wel een beetje van uw tijd,' zei Piet.

'Maar natuurlijk, voor de politie maken wij altijd tijd. Wat kan ik voor u doen?'

Piet stond nu bij de balie en leunde voorover.

'Vertelt u eens, meneer Bolk, hebt u onlangs een klant gehad die CASH betaalde?'

'Cash?' Bolk werd rood. 'U bedoelt met gepast geld?'

'Precies, gepast geld. Echte flappen. Ping-ping. Harde euro's. Contant. Begrijpt u wel?'

'Eh, ja-ja-jazeker!' stamelde Bolk. 'Laatst was er een man en die betaalde contant.'

'Ging het om veel geld? Meer dan duizend euro?' Piet keek Bolk streng aan.

'Ja, eh, best wel, iets van achtduizend euro.'

'En vond u dat niet vreemd? Uw klanten betalen toch meestal met een creditcard of via de bank? Die boten kosten toch veel geld?'

'Vreemd? Nou, een beetje wel,' zei Bolk, 'maar soms betaalt iemand contant. Dat mag toch?'

Piet keek Bolk doordringend aan.

'Zeker mag dat. Maar vreemd is het wel. Trouwens, wie was die man en wat kocht hij hier eigenlijk?'

'Nou, die klant, die heet Knacker. Een heel aardige man. En het ging om een waterscooter, voor zijn zoontje. Die was jarig.'

'Tjonge jonge,' zei Piet, 'een waterscooter, voor zijn verjaardag. En die werd dus contant afgerekend?'

'Jawel, achtduizend euro, dat zei ik toch al? In biljetten van vijftig. Dat waren er dus honderdzestig.'

'Zo, mooi is dat. En waar zijn die biljetten nu?'

Bolk werd nog zenuwachtiger.

'Die, eh, heb ik, eh, naar de bank gebracht. Afgestort in een sealbag*. In de nachtkluis. Heb ik soms iets verkeerds gedaan?'

Er verschenen zweetdruppeltjes op zijn voorhoofd.

'Tja, dat weet ik nog niet, meneer Bolk. Maar dacht u niet dat het zwart geld zou kunnen zijn? Of gestolen geld?'

Verschrikt keek Bolk Piet aan.

'Gestolen? Maar, maar…'

Verder kwam Bolk niet. Piet had zijn koffertje geopend en haalde er een krant uit.

'Kijk eens hier, meneer Bolk, de krant van gisteren. Die hebt u vast wel gezien?'

'O, u bedoelt die bankroof! Ja, dat heb ik gelezen…'

'En toen die meneer Knacker gisteren contant betaalde, ging er toen geen belletje rinkelen? Dacht u toen niet: hé, wat gek, zo veel geld. Zou ik dat wel aannemen? Dat zou wel eens van die bankroof kunnen zijn?'

Bolk pakte een zakdoek en wiste zijn voorhoofd.

'Eh, ja, heel even. Maar ik dacht dat het wel goed zat. Ik

was gistermiddag ook al bij de familie Knacker thuis geweest. Om die waterscooter af te leveren. En ja, een bankrover, die nodigt jou toch niet uit in zijn eigen huis?'

'Misschien,' zei Piet, 'misschien. Feit is dat u dat geld hebt aangenomen. En u wist dat het foute boel kon zijn. Dan kunt u het geld straks dus kwijt zijn.'

'Kwijt?' Bolk kreeg ongeveer een appelflauwte.

Het gesprek had lang genoeg geduurd. Piet Polies wist genoeg.

'Weet u wat we doen? We bellen even met de bank. En dan zoeken we het daar wel uit. Mag ik uw telefoon even gebruiken?'

'Met Flapstra.'

'Ja, meneer Flapstra, Piet Polies hier...'

'Ah, Piet, goed dat je belt! Heb je de boeven gepakt? Is het geld al teruggevonden?'

'Nog niet, meneer Flapstra, maar misschien is er een doorbraak. Kunt u straks even naar de bank in Dammerlo komen? Voor het onderzoek.'

'Maar natuurlijk! Twaalf uur, is dat goed?'

'Prima, meneer Flapstra, tot straks.'

Piet hing op.

Even later reden Bolk en Piet weg uit de jachthaven. Bolk zat naast Piet in de politieauto.

'Ik ben heel benieuwd, meneer Bolk. Want van de biljetten van de bankroof waren alle nummers genoteerd. We kunnen dus controleren of u gestolen geld heeft aangenomen.'

Maar Bolk leek niet te luisteren. Die zat zich vast druk te maken over het geld dat hij straks misschien wel kwijt was.

Echt vals geld

Tijdstip:
donderdag, 12.00 uur

Locatie:
de bank in Dammerlo

Personen:
Piet Polies, meneer Bolk
en meneer Flapstra

'Ah, Piet! Is de zaak opgelost?'

Flapstra, de bankdirecteur, stond bij de ingang van de bank in zijn handen te wrijven. Piet gaf hem een hand.

'Nou meneer Flapstra, dat nog niet. We moeten eerst een test doen.'

'Een test? Wat voor test? En wie is deze meneer?'

'Dit is meneer Bolk, een klant van uw bank. Als u nou de sealbag van meneer Bolk erbij haalt, dan kunnen we verder met het onderzoek.'

Ze liepen naar binnen. In de hal van de bank stond een bewaker in een uniform. Piet knikte hem vriendelijk toe. De bewaker tikte tegen zijn pet.

'Laten we hier maar even naar binnen gaan,' zei Flapstra.

Hij opende een deur. In de felverlichte kamer stond een grote tafel met zes stoelen. Op de tafel stond een vreemd apparaat.

'Wacht hier maar even, Piet, dan haal ik die sealbag uit de kluis.'

Flapstra verdween.

Piet en Bolk gingen zitten en bekeken het apparaat.

'Kijk, meneer Bolk,' zei Piet, 'dit is een euroscanner. Met dit apparaat kunnen we het geld uit uw sealbag controleren. Hij herkent namelijk nummers.'

De deur ging weer open en Flapstra kwam binnen. Hij keek bezorgd. In zijn handen had hij een doorzichtige zak geld.

'Slecht nieuws, Piet. Dit is niet het geld van de bankroof. We hebben de nummers gecheckt. Dit zijn heel andere nummers. Het is dus niet het gestolen geld uit Juinen.'

Flapstra ging zitten.

'Jammer zeg, meneer Flapstra. Dan is dit geld dus goed, en hoeft meneer Bolk zich geen zorgen te maken?'

Bolk veerde op. Er verscheen een voorzichtig glimlachje op zijn gezicht.

'Nou, dat is niet zeker,' antwoordde Flapstra. 'Er is namelijk iets geks met deze biljetten. Dit geld moet nog dubbel gecheckt worden. Kijk maar.'

Flapstra haalde zijn portemonnee tevoorschijn en pakte er een biljet van vijftig euro uit. Hij schoof het biljet in de gleuf van het apparaat.

SLURRRP!

En weg was het biljet.

Op het toetsenbord tikte Flapstra nu wat in en vervolgens kwam er een bonnetje uit.

Op het bonnetje stond: *50 Euro gestort op bankrekening 150511.*

'Ziet u, heren, deze vijftig euro heb ik net op mijn eigen bankrekening gestort. Maar nu, let op!'

Flapstra deed de zak met het geld van Bolk open en pakte er een biljet uit.

'Kijk, ik doe het biljet in de gleuf en ...'

SPREUT!

Het apparaat spuugde het biljet meteen weer uit.

Bolk, Piet en Flapstra keken elkaar aan.

'Dat is gek,' zei Piet verbaasd.

'En zo gaat het met alle flappen in deze geldzak. Ze worden allemaal uitgespuugd. Stuk voor stuk. Dat betekent dat wij dit geld niet kunnen aannemen. Heel vervelend voor u, meneer Bolk. Maar ook voor ons als bank. Wij moeten aan onze goede naam denken.'

Bolk was lijkbleek geworden. Hij begon te draaien op zijn stoel.

Piet pakte de sealbag en stopte die in zijn koffertje.

'Ik ben bang dat we dit geld in beslag moeten nemen, meneer Bolk. Voor nader onderzoek. Heel jammer. Even dacht ik dat deze zaak een een-tweetje was. Maar het blijkt toch lastiger te zijn dan ik dacht.'

Piet sloot zijn koffertje en typte een geheime code in op het slot.

'Er is duidelijk iets aan de hand met dit geld. Maar wat, dat moeten de heren Snaaima en Sporenberg maar uitzoeken.'

De drie mannen stonden op. Flapstra deed de deur open. Bolk schuifelde weg.

'M'n goeie geld... in beslag genomen,' mompelde hij huilerig.

Op dat moment ging Piets mobiele telefoon.

Prrriet prrriet!

Piet zag op zijn beeldscherm dat het de burgemeester was. Nee hè, dacht hij, ook dat nog.

'Met Piet Polies. Dag Burgemeester.'

'Ja, dag Piet, de burgemeester hier. Zeg luister eens, het regent klachten op het stadhuis. Van de winkeliersvereniging. Er schijnen valsemunters in de stad te zijn.'

Piets mond viel open van verbazing.

'Valsemunters? Hier in Dammerlo? Ongelooflijk...'

'Ja, en die verpesten de handel. Ze kopen allerlei spullen met nepgeld. Dat moet stoppen. Eerst die bankroof in Juinen en nu dit. We moeten die boeven vangen, Piet!'

'Eh, ja Burgemeester, ik heb u gehoord.'

'En hoe gaan we dat aanpakken, Piet? Door snuffelhonden in te zetten? Speciale controlelampen? Lokwinkels?'

'Burgemeester, gelooft u mij: we zitten erbovenop. Met onze beste mensen.'

Piet verbrak de verbinding. Hij moest even hard nadenken. Valsemunters! Gekker moest het niet worden.

Voelen, kijken en kantelen

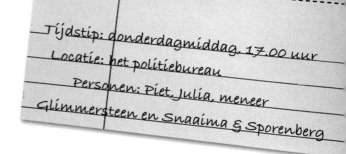

Tijdstip: donderdagmiddag, 17.00 uur
Locatie: het politiebureau
Personen: Piet, Julia, meneer
Glimmersteen en Snaaima & Sporenberg

'Piet, het is een zootje in de stad! Overal duikt vals geld op!'

Julia, de assistente van Piet, stond achter de balie van het politiebureau met twee telefoons in haar handen.

'We krijgen allemaal telefoontjes van winkeliers die nepgeld hebben ontvangen. De supermarkt, de snackbar, het tankstation. Namaakbriefjes. De stad wordt overspoeld met vals geld!'

'Rustig blijven, Julia,' zei Piet, 'we gaan dit stap voor stap aanpakken. Ten eerste moeten we als een speer alle winkels en banken waarschuwen. Laat via de radio en de website zeggen dat iedereen goed moet opletten. En dat winkeliers hun apparaten moeten gebruiken om valse biljetten op te sporen.'

Op dat moment kwam er een deftige heer het politiebureau binnenstormen. Het was meneer Glimmersteen, de juwelier. Hij stevende recht op Piet af.

'Vreselijk! Piet, het is een ramp. Ik heb per ongeluk namaakgeld aangenomen. Mijn knecht Jean-Paul was vergeten de eurotester te gebruiken. Nu hebben we een strop van tweeduizend euro. Het was een ring met een prachtige robijn. Horribel!'

Glimmersteen had tranen in zijn ogen. Huilerig keek hij Piet aan.

'Meneer Glimmersteen, gaat u even zitten en blijf kalm. Twee vragen: hebt u camerabeelden van de klant? En ten tweede: waar is het geld?'

'Het geld? Dat ligt bij mij in de kluis natuurlijk. Ik heb één biljet meegenomen.'

Glimmersteen overhandigde Piet een envelop.

'Dank u,' zei Piet en hij stak de envelop in zijn koffertje.

'En de camerabeelden? Prima idee! Ik ga ze direct halen.'

'Goed zo, meneer Glimmersteen, en neem dan meteen de rest van het geld mee.'

Glimmersteen stond op en vertrok.

'Julia, noteer alle aangiftes zorgvuldig. En zorg dat iedereen gewaarschuwd wordt. Ik ga even naar beneden.'

Beneden in de kelder van het politiebureau zaten Snaaima en Sporenberg. Zij waren van de Technische Recherche. In een geheimzinnig blauw licht zaten de twee mannen gebogen over het geld van meneer Bolk.

'Avond, heren. Zitten jullie weer fijn te puzzelen?' vroeg Piet grinnikend.

'Avond, Piet,' mompelde het duo in koor. Zonder op te kijken gingen ze door met hun werk. Snaaima tuurde door een microscoop*. Sporenberg zat te hannesen met een grote camera. Deze twee rechercheurs lieten zich niet snel afleiden. Met eindeloos geduld deden ze onderzoek om misdaden op te lossen. Nieuwsgierig, eigenwijs en heel slim. Sporen zoeken was een heel precies werkje. En daar had Piet veel respect voor.

'En heren, hebben we al wat?' Piet pakte een bureaustoel en ging zitten.

Snaaima draaide zich om. Hij hield een biljet van vijftig euro in de lucht.

'Hou je vast, Piet, ik val met de deur in huis: de biljetten van Bolk zijn niet afkomstig van de bankroof in Juinen. Dat is zeker.'

Piet knikte. Hij had het al gedacht. Jammer was het wel.

'Kijk,' vervolgde Snaaima, 'die gestolen biljetten begonnen met de cijfers 3-2-1. Deze hebben andere nummers. Beetje vreemde

nummers. En dit is wat we daardoor ontdekt hebben, Piet: dit geld is niet gestolen, maar VALS! Nep! Namaak!'

'Dacht ik het niet,' zei Piet met een zucht van verlichting, 'vals geld dus.'

'Ja, maar wacht even!' Snaaima stak zijn wijsvinger in de lucht. 'Iemand kan deze valse biljetten zomaar uit de flappentap hebben getrokken. Het is dus niet zeker dat die Knacker van jou er iets mee te maken heeft...'

'Ja ja,' zei Piet, 'bewijzen. We hebben bewijzen nodig.'

'Kijk, Piet, ik leg het nog een keer uit.' Snaaima ging er eens goed voor zitten. 'Valse biljetten kun je herkennen met een speciale techniek: voelen, kijken, kantelen.'

'Maar soms zijn ze toch bijna niet te herkennen?' vroeg Piet.

'Klopt. Dan grijpen we naar zwaardere middelen. Zoals de UV-lamp* of de euroscanner. Daarmee controleren we de kenmerken van echtheid. Dat zijn er zeven: het watermerk*, de inkt, het hologram*, de waardecijfers, het papier, de veiligheidsdraad en het doorzichtcijfer.'

'Het is nogal wat,' zei Piet. 'Best lastig voor een gewone winkelier.'

Snaaima legde twee briefjes van vijftig euro naast elkaar op tafel. 'Een van de twee is vals, Piet, wijs jij de valse eens aan.'

Piet hield de twee biljetten tegen het licht. Met het blote oog zag hij geen verschil.

'De kleuren zijn gelijk. Het watermerk zit in beide biljetten als je ze tegen het licht houdt. Het papier voelt goed aan. Aan het hologram zie ik niks bijzonders. Ik zou deze biljetten zomaar aannemen. Net als iedereen, denk ik.'

'Ja ja,' zei Sporenberg, die zich nu in het gesprek mengde en een lamp op tafel zette.

'Let op, Piet, dit is een UV-lamp, met ultraviolet licht. Hiermee controleren veel winkeliers hun bankbiljetten.'

Piet hield de twee bankbiljetten eronder. Maar er gebeurde niks. Het valse biljet had alle kenmerken van een echte. Piet zag nog steeds geen verschil.

'Verbluffend!'

'Inderdaad,' zei Sporenberg, 'deze valse biljetten zijn van zeer goede kwaliteit. Maar niet perfect. Onder de UV-lamp licht het echte hologram nét iets feller op. En ja, in de winkel is dat bijna niet te zien. Zo glipt vals geld door de controle. En komt het via de flappentap weer bij de mensen terecht.'

Piet wist genoeg.

'Heren, reuze bedankt, jullie hebben me enorm geholpen.'

Hij verliet de werkplaats. Er moest een hoop gebeuren. Eerst Bolk bellen.

'Ja, met Bolk?'

'Meneer Bolk, met Piet Polies. Slecht nieuws: dat geld van u, dat is vals. We moeten het nog even hier houden op het bureau. Voor onderzoek. Morgen hoort u meer.'

'W-w-wat?!' stamelde Bolk. 'Vals? Wat vreselijk. Heeft die Knacker mij bedrogen?'

'Dat gaan we nu uitzoeken, meneer Bolk.'

'Nou, dan moet ik u nog wat vertellen. Ik was vergeten te zeggen dat meneer Knacker zaterdag een boot komt kopen. Een Riva, dat is een hele dure. Wat moet ik doen als hij weer met een koffer met geld wil betalen?'

Piet dacht even na. Dat van die boot had hij al van Robin gehoord, gisteravond. En nu was Bolk zogenaamd vergeten hem dat te vertellen. Raar verhaal. Zou Bolk soms toch onder één hoedje spelen met die Knacker? En dat hij, nu alles uitkomt, zichzelf probeerde te redden?

'Meneer Bolk,' antwoordde Piet, 'als hij zaterdag weer met een koffer vol geld komt, moet u het spel meespelen. Doe maar net alsof u dat geld accepteert. Dan staat de politie garant.'

Ze verbraken de verbinding.

Wat een brutale vent, die Knacker, dacht Piet. Waar haalt-ie het lef vandaan? Het was tijd om in actie te komen.

De Geheime Opdracht

Tijdstip: vrijdag, 14.00 uur

Locatie: het politiebureau en thuis bij de familie Knacker

Personen: Piet, Julia, Robin, Sophie, Ricky, Estella

'Daar had ik nou net zin in!'

Julia zette de beker dampende koffie op het bureau van Piet.

'Koekje erbij?' vroeg ze.

'Ja, lekker!'

Piet pakte een stroopwafel uit de trommel die Julia hem voorhield.

'Zo, en dan gaan we vandaag een paar keiharde bewijzen verzamelen.'

Piet nam een slokje van zijn koffie.

'En hoe gaan we dat doen?' Julia was erbij gaan zitten.

'Met een heel listig plan,' antwoordde Piet. 'Vannacht heb ik liggen nadenken. Over het onderzoek van Snaaima en Sporenberg. Over al dat valse geld in de stad. Over die koffer met vals geld bij Bolk. Over de dure spullen van de familie Knacker. Alle sporen wijzen in de richting van Ricky's vader.'

Julia dacht even na. 'Maar geld namaken is toch heel moeilijk?'

'Klopt,' zei Piet, 'je hebt er speciale drukpersen voor nodig, heel duur papier en inkt. Misschien zijn de Knackers alleen maar een doorgeefluik van de echte valsemunters.'

Julia begon het te begrijpen.

'Dus misschien zijn zij alleen maar witwassers? Die het valse geld in omloop brengen?'

'Juist, en daarom gaan we undercover.'

'Wie, wij?' Julia sprong verheugd op. Undercover vond ze altijd reuze spannend. Verkleed onderzoek doen. Zonder dat de mensen zagen dat je van de politie was.

'Nou, niet helemaal,' zei Piet, 'wij doen een inkijkoperatie en Robin gaat undercover.'

'Wat, Robin? Maar die zit nog op school!' Julia was teleurgesteld.

'En daarom stuur ik hem nu een sms.'

Piet pakte zijn mobiele telefoon en stuurde een sms naar zijn neef:

Hi Robin, heb n klus voor jou. Een Geheime Opdr8. Kom je halen om 3 uur bij school. PP

'Goed,' zei Piet, 'en in de tussentijd gaan we de camerabeelden van Glimmersteen bekijken. Hij heeft de banden vanmorgen gebracht.'

Even later zaten Piet en Julia achter een beeldscherm. En ja hoor, precies op het door Glimmersteen opgegeven tijdstip kwam er een man de winkel binnen.

'Dat is gek,' zei Piet verbaasd, 'ik had verwacht dat het Knacker zou zijn. Maar deze man ken ik helemaal niet.'

Hij zette het beeld stil en liet Julia de foto's zien die Robin bij Bolk in de showroom had gemaakt.

'Nee, dat is Knacker niet,' zei Julia. 'Dat is een heel andere man!'

'Precies! Maak jij even een printje, dan checken we of deze meneer in ons Boevenboek voorkomt.'

'Ben al bezig.'

Julia maakte een afdruk en haalde het Boevenboek erbij.

'Hebbes!' riep Julia verheugd. 'Dit is 'm: Slatko Stekilos, Roemeen, verblijfplaats onbekend.'

'En wat heeft hij op zijn kerfstok?'

'Eens kijken... hier staat het: skimmen*, valsemunterij, bankroof. Kan niet missen.'

'Goed werk, Julia, dat is hem. En het lijkt nogal een zware jongen. Nu hoeven we hem alleen nog maar op te sporen. We gaan naar school, Robin halen.'

Piet pakte zijn koffertje en verliet met Julia het politiebureau.

Precies om drie uur stond Robin samen met Sophie bij de poort van het schoolplein. Maar oom Piet zagen ze niet. Wel een wit busje met zwarte ramen en een vreemde schotel op het dak. Raar busje, dacht Robin. Maar toen ging de schuifdeur van het busje ineens open. Piet stak zijn hoofd naar buiten.

'Hé jongens, gaan jullie mee?'

Robin en Sophie keken elkaar aan. Wat deed oom Piet in dat geheimzinnige busje?

'Vooruit! Instappen!'

De kinderen stapten snel in en Piet schoof de deur meteen weer dicht. Binnen in het busje was het propvol met computers, recorders, microfoons, koptelefoons en beeldschermen. Julia zat voor in het busje, achter het stuur. Langzaam reden ze weg.

'Jongens, dit is top secret,' zei Piet. 'We gaan op onderzoek en jullie moeten helpen. Als jullie dat willen tenminste.' Piet keek de kinderen vragend aan. 'Nou?'

'Ja, cool!' riepen Robin en Sophie in koor.

'Luister goed, hier is het plan. We rijden naar het huis van Ricky in de Goudkustwijk. Daar wachten we even tot hij thuiskomt. Dan stappen jullie uit en bellen aan om te vragen of je bij hem mag spelen.'

Sophie stak haar vinger op. 'Waarom rijden we eigenlijk in een geblindeerd busje?'

'Aha,' zei Piet, 'goeie vraag, Sophie. De familie Knacker mag namelijk absoluut niet weten dat de politie bij hen voor de deur staat. Jullie mogen dus niet zeggen dat Julia en ik in dit busje zitten. Gesnopen?'

'Gesnopen,' zei Sophie.

Piet ging verder met zijn instructie. 'Kijk, wij zijn het observatieteam en blijven in het busje.

Jullie gaan in en rond het huis een beetje rondkijken. Koekeloeren. Snuffelen. Zonder dat het opvalt! En dat is het moeilijkste.'

'En als we wat geks zien, wat dan?' vroeg Robin.

Piet haalde een etui tevoorschijn en ritste het open.

'Dan maak je stiekem een foto met deze minicamera. Maar niemand mag dat zien! Ook Ricky niet.'

Sophie stak weer haar vinger op. 'Als we nou eens verstoppertje gingen spelen?'

'Dat is een heel erg goed idee!' zei Piet. 'En weet je wat, maak ook maar een praatje met de moeder van Ricky. Misschien is die wel loslippig en kletst ze te veel. Dan nemen wij het op. Met dit afluisterhorloge.'

Piet liet een heel gewoon horloge zien en deed het om de pols van Robin.

'Er zit een zendertje in. We kunnen dus alles horen op een paar meter afstand.'

'Wow...' fluisterde Robin, 'dit is super cool!'

Maar Sophie vond het toch nog wel een beetje vreemd allemaal.

'Mag ik nog wat vragen, oom Piet?' vroeg ze. 'Waarom vraagt u dit van ons? Wat zoeken we eigenlijk? En wat heeft de familie Knacker dan gedaan? Zijn het soms boeven?'

Piet knikte. 'Heel goeie vragen, Sophie. En je hebt het recht om dat te weten. Wij denken dat er iets niet pluis is in dat huis. Dat de vader van Ricky iets te maken heeft met vals geld dat we hebben gevonden. Maar nu hebben we bewijzen nodig. Vandaar dat we deze inkijkoperatie gaan doen. Met jullie hulp. En wees gerust, het is niet gevaarlijk.'

Piet was klaar met zijn uitleg. Sophie had het begrepen. Het moment was aangebroken dat Robin en Sophie aan het werk gingen als spionnen.

Tijdstip:
vrijdag, 15.30 uur

Locatie:
thuis bij de familie
Knacker

Personen:
Robin, Sophie, Ricky,
Estella en Slatko

Spioneren bij je vrienden?

DING DONG!

Robin had aangebeld. De bel van het huis van de familie Knacker leek wel een kerkklok, zo hard galmde hij na. Estella deed open. Ze had een zwarte glitterjurk aan.

'Dag mevrouw Knacker. Mogen we met Ricky spelen?'

'Hé jongens, wat gezellig, dat zal hij leuk vinden. Kom maar binnen. Ik zal hem even roepen. Enne, zeg maar Estella, hoor!'

Ze liepen achter Estella door de hal naar de keuken. In het midden van de enorme keuken stond een soort eiland met barkrukken. Daar gingen ze zitten.

'Mooie keuken,' zei Sophie, 'krijgen jullie vaak gasten?'

'Ja, best vaak,' zei Estella, 'wij hebben vrienden in heel Europa. Glaasje cola?'

Ze kregen cola en Estella keuvelde verder.

'Ja, vorige week waren we nog in Marbella, daar heeft Ricky's papa een huis gekocht. Onze eurootjes zijn daar extra veel waard. Maar ik klets te veel. Ik roep Ricky even.'

Robin keek op zijn horloge. Zou het inderdaad alles opnemen?

Naast de ijskast hing aan de muur een witte plastic doos met een microfoontje. Het was een intercom. Estella drukte op een knopje en boog zich voorover. 'Joehoe, Ricky, ben je daar? Robin en Sophie zijn er voor je. Ze komen spelen.'

Het duurde een paar seconden en toen hoorden ze Ricky's stem door de keuken schallen. 'Robin en Sophie? O leuk! Dan kunnen we mooi gaan wiïen met z'n drieën!'

Estella liep voorop naar Ricky's kamer.
'Blijven jullie eten straks?'
'Nou gezellig,' antwoordde Robin, 'wat eten we dan?'
Sophie keek Robin kribbig aan.
'Dat vraag je toch niet,' siste ze.
'Nou gewoon, take away natuurlijk,' antwoordde Estella.
'Dus u kookt niet zelf?'
Estella barstte in lachen uit.
'Koken? Ha ha! Nee joh, daar zijn andere mensen voor. Wij eten altijd take away. Lekker makkelijk. En geen afwas.'
Raar, dacht Robin, waar heb je dan zo'n grote keuken voor nodig?

'Hoi jongens!' Ricky stond in de deuropening van zijn kamer. 'Laten we gaan wiïen!'
'En als jullie zijn uitgewiid,' zei Estella, 'willen jullie dan voor het eten nog even de paarden voeren?'
'Is goed, mam.'
Robin en Sophie keken elkaar verbaasd aan. Paarden? Hadden ze die ook al?

Ricky's kamer stond helemaal vol met dure apparaten en speelgoed. Het leek wel een winkel. Op een bureau stond een heel coole spelcomputer. Ze gingen zitten en begonnen te spelen. Sophie was de beste.
Al snel moest Robin naar de wc.
'Waar kan ik even...?'

'Hier rechts de gang in, vierde deur links.' Ricky keek niet op en speelde door.

Op de gang zag Robin dat er naast de wc een deur van een kamer op een kier stond.

Even neuzen, dacht hij. Langzaam deed hij de deur van de kamer open.

Op brede planken lagen grote rollen papier. En op de grond stonden plastic flacons met kleurstof. Wat was dit allemaal? Robin greep naar de minicamera in zijn broekzak. Maar eerst keek hij nog even op de gang of er niemand aan kwam. Vliegensvlug maakte hij een paar foto's.

Klik klik klik!

In een paar tellen was hij klaar. Het zweet stond op zijn voorhoofd. Nu snel naar de wc!

Robin verliet de kamer en dook de wc in. Kanonnen, dat was op het nippertje, dacht hij. Stel je voor dat iemand hem had betrapt...

Terug in de kamer van Ricky deed Robin natuurlijk net of er niks was gebeurd.

'En, wie gaat er winnen?'

'Sophie natuurlijk,' mompelde Ricky beteuterd.

'Leuk spel,' zei Sophie met een brede grijns, 'heb ik thuis niet. Best makkelijk!'

'Ach, weet je,' zei Ricky, 'al die dure dingen, ze komen me mijn neus uit. Ik speel veel liever buiten. Blikkie trap op straat. Of lekker klooien in het bos.'

'Of verstoppertje?' zei Sophie.

Ricky sprong op. 'Ja, verstoppertje! Dat is een goed idee! Kom mee, naar buiten!'

Robin en Sophie keken elkaar aan. Het was tijd om eens rond te snuffelen.

Buiten in de tuin wees Ricky naar een dikke boom. 'Dat is de buutplek. En ik begin als zoeker. Jullie moeten je verstoppen. Maar je mag niet overal naar binnen, hoor. Dat mag ik ook niet.'

Vreemd, dacht Robin, maar vooruit.

Ricky deed zijn handen voor zijn ogen en begon met aftellen. In een flits was Sophie verdwenen, achter de garage waar de roze SUV van Estella stond. Robin keek om zich heen. Naast de garage stond nog een gebouw. Er kwam gehinnik uit. Dat moest de stal zijn. Hij liep naar binnen en verstopte zich snel achter een paar hooibalen. In de verte hoorde hij Ricky: 'Achtentwintig, negenentwintig, dertig. IK KOM!'

Robin loerde de stal in. Het was een lange gang met boxen waar paarden in stonden. Een stuk of zes. Weet je wat, dacht Robin, Ricky is vast op zoek naar Sophie. Ik ga hier eens koekeloeren.

Zo gedacht, zo gedaan. Op zijn tenen sloop hij de gang in om de paarden niet aan het schrikken te maken. Met hun gehinnik zouden ze zijn schuilplaats kunnen verraden.

Tevreden snoven en gnuifden de paarden in het stro. Bij elke box hing een bordje met de naam van het paard: Lord Gaga, Ziggy Zeegurk, Jojo Buitelhork, Kika Konterfit, Ali Kipsala, Baschi Boezoek...

Wat een rare namen, dacht Robin. Hoe komen ze erop?

Aan het eind van de gang stond een schuifdeur op een kiertje. Er hing een bordje:

VERBODEN TOEGANG

Juist, hier moet ik zijn, dacht Robin. Heel voorzichtig schoof hij de deur verder open. Het was een soort werkplaats. Het leek alsof er niemand was. In het gedimde licht zag hij door de hele ruimte lange waslijnen hangen. In het midden stond een enorme machine. Het leek wel een soort kopieerapparaat. Eromheen stonden kasten

met allerlei materialen: vreemde stempels, potjes watermerken, cijfermallen. Op een grote tafel stond een snijmachine en laptop. En in een grote open kast zag Robin stapels geld liggen. Met wikkels eromheen. Stapels gloednieuwe eurobiljetten! En staatsloten. En cadeaubonnen.

Robins mond viel open van verbazing.

'Wooo, dit is echt heftig,' zei hij hardop in zijn afluisterhorloge. 'Dit moet ik fotograferen!'

Snel nam hij een heleboel foto's. KLIKKLIKKLIK!

Maar toen hoorde hij door een open raampje een auto. En vreemde stemmen. En voetstappen.

Oei, wegwezen! Als een haas rende Robin de werkplaats uit, door de gang langs de paarden. Net op tijd kon hij achter de hooibalen wegduiken, want daar kwamen twee mannen de stal binnengelopen. De paarden begonnen onrustig te hijgen.

De mannen liepen naar de schuifdeur aan het eind van de gang. Robin herkende de ene man: het was de vader van Ricky. En die

andere leek wel Tony, die pizzabakker van Ricky's partijtje. Hij zeulde met twee grote loodgietertassen.

'...vanavond aan de slag...' hoorde Robin Ricky's vader zeggen.

De mannen verdwenen in de werkplaats en Robin glipte ongezien de stal uit. Voor de deur stond een groen bestelbusje. Achter het stuur zat een man met een baard. Hij gaf een beetje gas en reed langzaam het terrein af.

'Hé, waar zat je nou?' Daar kwam Ricky aangelopen met Sophie. 'Ik kon je niet vinden. En Sophie had zich ook te goed verstopt. Laten we de paarden gaan voeren.'

Op dat moment kwam Estella uit de keukendeur de tuin in. Het leek wel alsof ze plotseling haast had. En ze was ook minder aardig dan eerst.

'Vooruit, jongens, hup naar huis.'

Sophie begreep het niet. 'Maar we zouden toch blijven eten?'

'Ja, nee, dat kan niet doorgaan. Er komt wat tussen. We hebben het druk vanavond. We moeten nog even werken.'

'Werken?' vroeg Robin. 'Wat doet u dan voor werk?'

'Ach, niks bijzonders, wij maken kunstwerken op bestelling.'

Ze liepen om het huis naar de voorkant van de villa.

Ja, ja, dacht Robin, kunstwerken? Ammehoela!

En voordat ze het wisten, stonden ze buiten op de oprijlaan en zwaaide Ricky hen uit.

'Doei! Was leuk. Tot snel!'

Om de hoek stond het witte busje van Piet Polies en Julia. De schuifdeur ging open en Robin en Sophie stapten in.

'Zo jongens,' zei Piet, 'goed werk. Mag ik mijn cameraatje terug, Robin? Ik denk dat jij topfoto's hebt gemaakt!'

Zaterdag, botendag

Het was zaterdag. Meestal ging Piet dan 's morgens naar de sportschool. Maar vandaag zat Piet op het politiebureau. Er moest van alles gebeuren. Eerst de foto's van Robin bekijken. Dan luisteren naar de opnamen van het afluisterhorloge. En het belangrijkste: een huiszoekingbevel regelen. Want Piet wilde een inval doen bij de Knackers. En daar heb je toestemming voor nodig van de officier van justitie.

Een belletje naar Meester Grijpgraag was voldoende geweest. Die wist heel goed dat je razendsnel in actie moet komen als je valsemunters op het spoor bent. Ze konden namelijk hun spullen om vals geld te maken zo laten verdwijnen. En waar zijn je bewijzen dan? Timing was dus super belangrijk. En wat misschien nog belangrijker was: de boeven op heterdaad betrappen. Dus tijdens het drukken van vals geld. EN tijdens het uitgeven van vals geld.

Vandaar dat Piet van plan was die ochtend naar Bolk de botendealer te gaan. Daar zou de vader van Ricky vandaag een nieuwe boot gaan kopen.

Maar eerst moest Piet wachten op Julia. Die was vandaag wat later. Eerst moest ze haar oma uit bad halen. Dat duurde altijd even. In de tussentijd pleegde Piet nog wat telefoontjes.

'Zo, ouwe boevenvanger, gaan we eindelijk op jacht?'

Julia zette een grote pan op Piets bureau.

'Van Oma. Zuurkool met masterbeef. Speciaal voor jou gemaakt,

124

Piet. Omdat jij altijd zo hard werkt. En boeven vangt.'

'Heel lief van je oma, Julia. Daar gaan we vanavond van genieten. Maar nu eerst even boeven vangen. Rij de auto maar voor. En vergeet je zwemvest niet!'

Een half uurtje later parkeerde Piet de politieauto vlak bij de jachthaven van Bolk.

'Ze mogen zeker niet zien dat de politie er is?' zei Julia.

'Precies,' antwoordde Piet. 'Dit is het plan: jij verstopt je op de parkeerplaats. Als er een zwarte Porsche aankomt, geef je me een seintje met je mobilofoon.*'

'Begrepen.'

Piet pakte zijn koffertje en verdween naar de jachthaven.

'Morgen, meneer Bolk.'

Verschrikt keek Bolk op. Hij herkende die stem.

'Ah, daar is de politie. Ook goeiesmorgens. Koffie?'

'Nou nee, meneer Bolk, wij zijn hier niet op de koffie. U weet wat er gaat gebeuren straks?'

Piet Polies keek Bolk streng aan. Dat werkte altijd als mensen iets te verbergen hadden.

'Eh, ja,' stamelde Bolk, 'straks komt meneer Knacker een boot kopen en dan neemt u zijn geld in beslag. Toch?'

'Klopt. Maar alleen als hij die boot CONTANT gaat betalen.'

'En hoe krijg ik dan mijn geld?'

'Geen zorgen, die boot blijft van u. En knoop in uw oren: u doet alsof ik er NIET ben.'

Bolk knikte en Piet liep verder de showroom in. Achter een plantenbak stelde hij zich verdekt op. En toen begon het wachten. Want niemand wist precies hoe laat de vader van Ricky zou komen.

Piet deed zijn koffertje open en pakte een boterham. Nèt toen hij

125

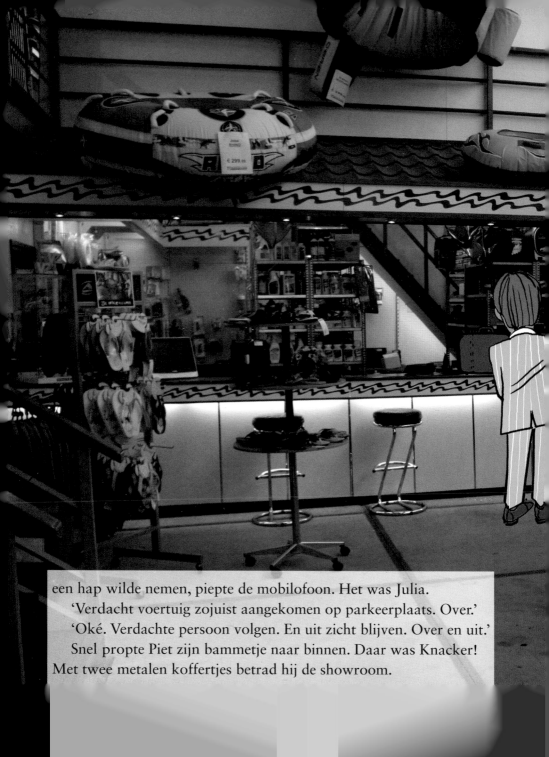

een hap wilde nemen, piepte de mobilofoon. Het was Julia.

'Verdacht voertuig zojuist aangekomen op parkeerplaats. Over.'

'Oké. Verdachte persoon volgen. En uit zicht blijven. Over en uit.'

Snel propte Piet zijn bammetje naar binnen. Daar was Knacker!
Met twee metalen koffertjes betrad hij de showroom.

'Zo, meneer Bolk, ligt de Riva klaar?'

'Zeker, meneer Knacker, een prachtexemplaar.'

'Prima de luxe. Dan wil ik graag meteen afrekenen.'

'Maar wilt u niet eerst een proefvaart maken?'

'Ach, meneer Bolk, ik kan u toch vertrouwen?'

Het bleef heel eventjes stil.

'Eh, natuurlijk, dat spreekt vanzelf. En hoe wilt u betalen?'

'Cash graag.'

Vanuit zijn schuilplaats spitste Piet zijn oren.

'Dat is dan 395.000 euro. Inpakken of meenemen?'

Knacker zette de twee koffertjes op de balie en maakte ze open.

'Meenemen.'

'Zal ik het nog even natellen, meneer Knacker?'

'Nee hoor, niet nodig. Heb 't globaal nageteld. Dus het klopt ongeveer.'

Bolk sloot de twee koffers en borg ze op achter de balie.

'Hier zijn de sleuteltjes en de papieren. Gefeliciteerd met uw aankoop. Het was heel prettig zaken met u doen. En mag ik u dan nu voorgaan naar uw nieuwe bootje? Hij ligt achter. Netjes gepoetst en afgetankt. U kunt er zo mee wegvaren.'

Bolk en Knacker gingen naar buiten.

Piet zette de mobilofoon aan.

'Julia, direct naar de showroom. En neem dat zwemvest mee.'

Vijf minuten later stonden Piet en Julia achter de balie van Bolk. Piet had de twee koffertjes in beslag genomen en opengemaakt. In de koffers lagen dikke bundels met geld. Keurig in wikkels naast elkaar. Hij pakte er een bundeltje uit. Dat waren wel honderd briefjes van vijftig!

'Mama mia, Piet! Hoeveel is dat eigenlijk?'

'395.000 euro. Maar het is niets waard. Het is nep. Dat weet ik zeker. Luister goed, jij neemt deze twee koffertjes mee. Zet ze in de auto en neem daarna Bolk mee naar het bureau. Ik moet er nu als een speer vandoor.'

Piet deed het zwemvest aan en verliet de showroom.

Een eindje verderop stonden Bolk en Knacker bij de boot. Piet sloop naar de zijkant van het haventje zodat ze hem niet konden zien. Bij de verste steiger lag een rubberboot. Het was een soort Greenpeace-boot, met twee machtig grote buitenboordmotoren. Samen goed voor 450 pk. Op een bordje stond de naam van de boot: *Rocket*. Voor een speciaal prijsje had Piet deze boot van de mariniers overgenomen. Ideaal voor een achtervolging op het water. En dat was precies wat Piet van plan was. Maar wat gek: de motor liep al zachtjes te ronken!

'Hé oom Piet!'

Vanuit het vooronder kwam Robin tevoorschijn.

'Robin! Wat doe jij hier nou?'

'Tja, ik wilde u helpen, dus ik heb de motor vast gestart. We kunnen meteen weg.'

'En hoe wist jij dat ik hier was?'

'Tja, logisch: vandaag ging de vader van Ricky zijn boot toch ophalen. Nou dan!'

Dekselse schavuit, dacht Piet.

'Vooruit dan maar. Alleen wel even dit zwemvest aandoen.'

Piet gaf zijn zwemvest aan Robin. Langzaam voeren oom en neef het haventje uit.

Ook Knacker was inmiddels vertrokken. Even leek hij rustig weg te varen, maar toen gaf hij flink gas. Het grimmige geronk was aangezwollen tot een oorverdovend gebrul. Daar ging hij!

Piet gaf ook gas en stuurde zijn boot naar het midden van de vaart. De Riva spoot ervandoor. Hij ging beslist sneller dan de toegestane twintig kilometer per uur! Piet en Robin gingen er direct achteraan. De Rocket kliefde door de golven die de Riva veroorzaakte.

'Hou je vast, Robin,' zei Piet en hij trok aan de gashendel. Hier had hij eigenlijk helemaal geen zin in. Dit was de Noordzee niet! Andere boten op het kanaal moesten pardoes uitwijken. Vogels vlogen geschrokken op en woonboten begonnen onrustig heen en weer te deinen.

Robin vond het best cool, zo'n achtervolging. Maar Piet was er klaar mee en pakte zijn megafoon. Met één hand sturend kon hij vlak achter de Riva komen. Knacker had hem nog niet gezien.

'Riva, ahoy, POLITIE, direct stoppen! En langszij komen!'

Piets stem schalde over het water. Knacker draaide zich om en zag dat de politie hem op de hielen zat.

'Hè, verdemme,' zei hij, 'heb ik weer.' Hij nam gas terug en probeerde stil te gaan liggen. Maar de hekgolf haalde hem in. Robin moest zich goed vasthouden om niet overboord te vallen. Even later konden ze de twee boten aan elkaar leggen. Ze dobberden in de richting van het riet.

'Nou meneer, dat wordt een bon,' zei Piet, 'een hele vette.'

'Een bon? Wat is dat voor gezeur? Beetje spelevaren. Moet kunnen, toch?'

'Noemt u dat spelevaren? Meneer, u bent een gevaar op het water. Papieren graag. Legitimatie en vaarbewijs.'

Knacker keek woedend en zag nu ook Robin zitten.

'Mooi is dat. Je geeft ze te eten en cadeaus. Je brengt ze naar huis. En dan dit. Lekker is dat.'

Hij pakte zijn portemonnee en haalde er wat geld uit.

'Nee meneer, eerst uw documenten en dan pas betalen.'

Met tegenzin overhandigde Knacker zijn papieren aan Piet. Ze leken echt.

'Meneer, voor snelle motorboten gelden speciale regels. Die zijn bedoeld voor de veiligheid van de mensen en bescherming van de natuur. U ging harder dan twintig kilometer per uur en dat is hier verboden. Verder hebt u geen reddingsvesten aan boord. En u hebt andere boten gehinderd met roekeloos gedrag. Bovendien staat er geen naam op de boot. U krijgt een bekeuring van 250 euro.'

'250 euro?! Tjonge jonge, da's niet misselijk. Kan ik cash betalen?'

Piet dacht even na. De boete cash betalen? Dat kwam goed uit!

'Goed dan,' zei Piet, 'voor deze keer. Als u beterschap belooft.'

Knacker gaf Piet vijf biljetten van vijftig euro. Piet gaf hem de bon.

'Meneer, als iedereen maar wat doet, wordt het een zootje. Dan gebeuren er ongelukken. En dat willen we niet. Voorzichtiger varen dus. Tot ziens.'

Robin gooide het lijntje los en Piet zette koers naar de jachthaven. Knacker voer de andere kant op, naar huis waarschijnlijk.

'Zo Robin,' zei Piet, 'nu heb ik de man ontmoet, zijn papieren gezien en geld van hem gekregen. Snel naar het bureau en al dat geld checken. Dit kon wel eens een onrustig avondje worden...'

Handen omhoog!

Tijdstip: zaterdagavond, 18.00 uur

Locatie: het politiebureau en thuis bij de familie Knacker

Personen: Robin, Knacker, Slatko, Piet Polies, Julia
en twee andere politieagenten

'Julia, vanavond gaan we langs bij de familie Knacker.'

Piet en Julia zaten achter een bordje zuurkool met masterbeef. Julia had het opgewarmd in de magnetron. Beetje ketchup erbij en klaar, smullen maar!

'We hebben genoeg bewijzen,' zei Piet. 'Die Knacker en zijn knecht Slatko zijn valsemunters. Even deze hap naar binnen werken en dan gaan we ze ophalen.'

'Mooi, Piet, het gedonder heeft lang genoeg geduurd.'

'Zo is het maar net. We moeten NU in actie komen. Alleen nog even bellen.'

Prrriet prrriet!

'Met Robin!'

'Robin, hier je oom Piet. Luister goed, je moet iets voor me doen. Het is heel belangrijk.'

'Ik luister, oom Piet.'

'Na dit gesprek moet je meteen Ricky bellen. En vragen of hij bij je komt spelen. Zeg maar dat jullie een boomhut gaan bouwen in de achtertuin. Dan komt-ie vast wel.'

'Afgesproken!'

Ze hingen op.

Een half uurtje later zaten Piet en Julia in de boevenwagen. Op weg naar de Knackers.

132

'Even de checklist doornemen, Julia. Heb je de handboeien bij je? Drie paar?'

'Check.'

'Het huiszoekingsbevel van Meester Grijpgraag?'

'Zeker weten, Piet. En voor alle zekerheid heb ik ook paar collega's gebeld.'

'Goed werk. Luister, dit is ons plan. Jij belt aan. Als Estella opendoet, vraag je of die rustig meegaat naar het bureau. Als ze tegenstribbelt: handboeien omdoen.'

Julia knikte. Piet ging door met zijn plan.

'Ondertussen sluip ik om het huis heen en doe een inval bij de stallen. De andere agenten moeten klaarstaan om de boeven mee te nemen. Alles duidelijk?'

'Klaar als een kloppende blaar,' zei Julia.

'Mooi, zo gaan we het doen, dan komt alles goed.'

Piet parkeerde om de hoek van het huis van de Knackers. Uit zijn koffertje pakte hij een leren etui en stopte die in zijn binnenzak.

'Succes!'

'Jij ook, Piet. Enne: pak ze!'

Ze stapten uit. Het begon al te schemeren. Julia liep naar de oprijlaan van het huis. Piet verdween in de struiken.

Nu even scherp zijn, dacht Piet bij zichzelf. Hij sloop om het huis en verstopte zich achter een dikke boom in de achtertuin. Hij wachtte tien minuten toen er plotseling een zijdeur van het huis openging. Een man met een druipsnor kwam naar buiten. Het was Slatko, de knecht van Knacker. Hij droeg een grote fles kleurstof en stak de tuin over naar de stallen. Daar ging hij naar binnen. Piet sloop achter hem aan, door de gang, langs de paarden…

'HANDEN OMHOOG! POLITIE!'

Met getrokken pistool sprong Piet de werkplaats binnen. Daar stonden Knacker en Slatko bij de kopieermachine. Ze schrokken zich een ongeluk.

'Kalabaja!' riep Slatko. Zijn ogen spuwden vuur.

'Wel verrdrrrr!' mompelde Knacker. Hij keek woest om zich heen.

'Handen omhoog!' riep Piet nog eens. 'Jullie zijn er gloeiend bij. Hup, tegen de muur!'

Schoorvoetend bewoog Knacker zich naar de muur. Maar Slatko was niet van plan zich over te geven. Ineens glipte hij langs Piet en rende de gang in.

'Ha! Iek ben foetsie!' riep hij over zijn schouder.

Piet bleef koel en hield Knacker onder schot. Met een soepele beweging deed hij hem de handboeien om.

'Ziezo, meneer Knacker, u staat onder arrest. Onder verdenking van valsemunterij en het in omloop brengen van vals geld. Zwendel, fraude en oplichterij. Een mooie lijst.'

'Ach vervelende smeris, je zit ernaast. Wij maken hier mooie kunstreproducties. Kijk maar.'

Piet keek eens om zich heen. Aan waslijnen hingen honderden biljetten te drogen. Euro's en dollars. Vooral veel flappen van vijftig euro.

'Kunst? Man, waar heb je het over? Dit is vals geld!'

'Nee hoor, het zijn reproducties. Daar maken wij kunst van. Om in te lijsten. Je hebt helemaal geen bewijzen!'

'Geen bewijzen?!' zei Piet met stijgende verbazing. 'Je moest eens weten. Jullie staan hier gewoon flappen te tappen uit eigen tap. We gaan alles in beslag nemen. En jij gaat mee naar het bureau. En die handlanger van jou, die Slatko, die zal nu wel in de boeien zijn geslagen.'

Knacker trok een gezicht als een oorwurm. Het spel was uit en dat wist hij maar al te goed. Piet pakte hem in de kraag en samen liepen ze naar buiten. De paarden briesten luid.

Naast het huis stond een overvalwagen met twee andere politieagenten.

'Avond, heren,' zei Piet.

'Hé Piet, heb je ook een boef gepakt? Nou, die andere met die snor zit al in de achterbak. Keurig opgevangen bij de uitgang. Hij gooide nog een heleboel euro's in de lucht. Maar daar zijn wij niet ingestonken. Met ons tweetjes hadden we hem zo te pakken. Die gaat voorlopig niet met vakantie. En dat nepgeld, dat zit allemaal in deze zak.'

Piet nam de zak met vals geld over van zijn collega's.

'Goed werk, mannen. Zetten jullie deze ook even achterin?'

De twee politiemannen grepen Knacker bij zijn lurven en sloten hem op in de boevenwagen.

'Breng ze maar weg,' zei Piet. 'Dat wordt water en brood.'

Lachend stapten de twee in en reden weg.

Nu was Piet alleen. Ricky was bij Robin. Knacker en Slatko waren op weg naar het bureau. En Estella? Zou die door Julia zijn meegenomen? Hij pakte zijn telefoon.

'Politiebureau, met Julia!'

'En, hoe ging het?' vroeg Piet.

'Zit net mijn rapport uit te tikken.'

'En Estella?'

'O, eitje,' antwoordde Julia. 'Die ging zo mee. Mak als een lammetje.'

'Knap werk!' Piet was blij verrast. 'Hoe heb je dat gedaan?'

Julia lachte listig. 'Met een smoesje. Ik vertelde dat Ricky uit de boomhut van Robin was gevallen. Toen ging ze meteen mee. Ze zit in Verhoor 2. Met een kop koffie.'

'Goed, laat haar maar een nachtje logeren. Knacker en Slatko zijn ook onderweg. Die blijven ook slapen. Nu moet ik eerst zorgen dat

Ricky bij Robin blijft logeren. En dan gaan we het huis van Knacker leeghalen. Alles wordt in beslag genomen. Ook de paarden, die gaan naar een manege. En Julia, als iedereen veilig in bed ligt, ga dan ook een dutje doen. Je hebt het verdiend.'

'Bedankt Piet, tot morgen!'

Ze verbraken de verbinding.

Piet stond in de tuin bij de dure villa. Een uil riep onheilspellend vanuit een boom. Het was inmiddels donker geworden. Al die rijkdom, dacht Piet. Allemaal nep. Wat een armoede…

Liegen en bedriegen

'Koffie, Piet? Heb net verse gezet!'

Tante Tine van de kantine zette een beker op Piets bureau.

'Tegen een bakkie van jou zeg ik geen nee, Tine. Jouw koffie is de lekkerste.'

'Ha ha, ouwe slijmerd! Zorg jij nou maar dat je boeven vangt.'

'Nou, heel toevallig heb ik er gister een paar opgehaald. En die ga ik zo verhoren.'

Tante Tine ging met haar dikke billen schuin op Piets bureau zitten. Het kraakte vervaarlijk.

'Goed gedaan, jochie. Enne, hebben die boeven iets te maken met die bankroof in Juinen?'

Piet moest even nadenken.

'Nou, dat denk ik niet. Maar wel met dat valse geld.'

'Als ik het niet dacht. M'n zuster kreeg een vals briefje van vijftig uit de flappentap. Nu is ze de pineut en krijgt ze niks terug.'

Met een plofje gleed Tine weer van Piets bureau en verdween naar de kantine.

Piet liep naar buiten om even rustig wat belletjes te doen.

'Hé Robin, met oom Piet.'

'Hoi oom Piet, ik zag het al: nummerherkenning.'

'O ja, mooi, ik bel even om je te bedanken dat je Ricky hebt uitgenodigd. Die jongen heeft een zware tijd.'

'Geen probleem. Hij mag hier blijven logeren van pap en mam. Hij weet dat ze vast zitten.'

'Ja, vervelende zaak. Fijn dat je zo'n goede vriend bent voor die jongen.'

'Tuurlijk. Maaruh… nu moeten we toch echt een boomhut gaan bouwen!'

Lachend hingen ze op.

'Met Glimmersteen.'

'Ja, met Piet Polies, sorry dat ik u bel op zondagmorgen maar we hebben goed nieuws. Uw ring met robijn is terecht. Gisteren gevonden. Puntgaaf. Uw naam stond op het doosje.'

'Maar dat is geweldig nieuws, Piet! Hoe kan ik je bedanken?'

'Dat hoeft niet, meneer Glimmersteen. Komt u hem morgen maar even halen.'

Alweer een tevreden burger, dacht Piet.

'Hallo, met Bolk, de botendealer.'

'Meneer Bolk, met de politie. Ik heb goed nieuws voor u.'

'Ah, wilt u koffie?!'

'Nee, u krijgt de waterscooter en de motorboot weer terug.'

'O, dat is jammer. Ik had liever het geld.'

'Ja, maar dat geld is vals. Dat wilt u niet. Wees blij dat u geen verlies lijdt.'

'Nou bedankt dan maar weer!'

Rare man, dacht Piet en hij hing op.

'Hoi Paula, met je broer.'

'Ha Pietje, moet je niet voetballen?'

'Nee joh, moest werken vanmorgen. Voetbal is vanmiddag. Als ik het haal. Moet eerst boeven verhoren. De ouders van Ricky. Daar bel ik voor.'

'Ja, die jongen van hen logeert hier.'

'Kun je hem nog even bij je houden? We sturen zijn moeder later langs om het uit te leggen.'

'Geen probleem!'

'Bedankt, Paula. En doe de groeten aan Robin. Hij heeft geweldig geholpen.'

Piet hing op.

'Ha Piet, lekker uitgeslapen?'

Het was Julia. Ze gooide een sporttas in de hoek van de kamer en ging zitten. Ze droeg een trainingspak.

'Moet je ook voetballen vanmiddag?'

'Yep. Om vier uur. Tegen de Loony Ladies. Altijd lachen.'

'Mooi, ik om half vier. Tegen de Dekselse Boys. Dus voor die tijd moeten we klaar zijn. Laten we maar meteen beginnen met verhoren.'

Ze stonden op en liepen naar de eerste verhoorkamer. Daar zat Slatko met zijn druipsnor heel sacherijnig een sigaretje te roken.

'Iek nieksj weten. Iek sjlecht Niederlandsj. Iek oensjchoeldig.'

'Ja ja,' zei Piet. 'Als jij niet wilt praten, prima. Maar als je bekent, krijg je misschien een lagere straf. Je handlanger Knacker heeft al bekend. En jou noemde hij als bendeleider. Dat ziet er slecht voor je uit.'

Slatko deed zijn armen over elkaar en keek grimmig voor zich uit.

'Niks zeggen? Dan moet je het zelf weten. Ik heb hier geen zin in.'

Piet stond op. Julia drukte op de knop van de voicerecorder.

'12.44 uur. Einde verhoor van Slatko Stekilos.'

Piet en Julia verlieten de verhoorkamer. Dat ging lekker snel.

'Slimme truuk,' zei Julia op de gang. 'Zeggen dat Knacker hem verraden heeft. Jammer dat hij er niet in trapte. Maar het zaadje van onzekerheid is nu wel gezaaid.'

Piet glimlachte. 'Ach, je weet nooit hoe een koe een haas vangt. Misschien dat Knacker wel hapt!'

Ze gingen een andere kamer binnen en namen plaats aan tafel. Knacker zat met zijn handen in zijn haar.

'Zo, meneer Knacker. We hebben een stapel met bewijzen tegen u. U bent een valsemunter. En u hebt vals geld in omloop gebracht. We hebben foto's, tapes, filmbeelden. En natuurlijk een werkplaats vol met spullen om vals geld te maken. Wilt u een bekentenis afleggen? Slatko heeft inmiddels alles opgebiecht.'

'Daar geloof ik niks van,' antwoordde Knacker verontwaardigd. 'Die gozer is zo gewiekst, die zegt niks.'

Piet ging er eens goed voor zitten.

'Nou, hij heeft anders wel verklaard dat u de baas van de bende bent.'

Knacker lachte een langzame neplach.

'Ha ha ha. Laat me niet lachen. Nou wordt-ie helemaal mooi. Die rare Roemeen is de baas. Ik ben maar een klein mannetje. Zeg, waar is mijn vrouw? En mijn zoon?'

Piet keek Julia aan en knikte.

'Meneer,' zei Julia, 'uw zoon logeert bij een vriend. Die is veilig. En uw vrouw heeft de nacht op dit politiebureau doorgebracht. Voor alle zekerheid.'

Knacker ging plotseling rechtop zitten.

'Maar die heeft er niets mee te maken! Zij is onschuldig!'

'Nou,' zei Piet, 'daar lijkt het niet op. Bij de supermarkt wilde ze met een vals biljet van tweehonderd euro betalen. Met opzet. Dat is verboden. Nee, meneer Knacker, u probeert uw vrouw te beschermen, maar dat gaat niet lukken. Bovendien heeft zij ook al bekend.'

Knacker slaakte een diepe zucht.

'Ja ja, dat zal wel. Ik heb er genoeg van. Ik wil een advocaat. Ik ben moe. Laat me met rust.'

Piet en Julia stonden op.

'Goed, dan moet u het zelf weten. Het bewijs is rond. Ik zie u wel bij de rechter.'

Met een grote sleutel sloot Julia de kamer af.

'Moeten we die Estella nou ook nog ondervragen?' vroeg ze.

'Nee, niet nodig. Dat is een kleine vis. Medeplichtig zou ik zeggen. Laat haar maar vrij. Dan kan zij haar zoon opvangen. Weet je wat wij gaan doen?'

'Ja duh: voetballen, slimmerik!'

Piet krabde even achter zijn oor en keek Julia schalks aan.

'Ja, maar eerst even langs Harry's Snelbuffet. Voor een lekkere grote kroket. Ik heb hier nog een paar biljetten van vijftig euro...'

Julia zette grote ogen op terwijl Piet wapperde met een paar mooie nieuwe biljetten.

'Wat! Dat zijn biljetten van de Knackers! Dat is vals geld! Dat kun je niet maken.'

'Ha ha!' lachte Piet. 'Geintje!'

Ze schaterden het uit.

'Zo, nu eerst even een balletje trappen,' zei Piet. 'Vanavond Studio Sport en dan vroeg naar bed. Morgen een bankroof oplossen. En scoren, hè, Julia!'

Geld kopiëren, dat mag dus niet

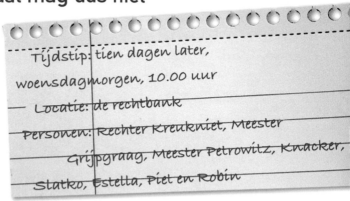

Tijdstip: tien dagen later,
woensdagmorgen, 10.00 uur
Locatie: de rechtbank
Personen: Rechter Kreukniet, Meester
Grijpgraag, Meester Petrowitz, Knacker,
Slatko, Estella, Piet en Robin

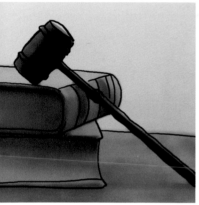

Precies tien dagen later was de rechtszaak. Robin mocht mee en zat naast zijn oom in de zaal. Ricky was er niet bij. Die logeerde bij zijn opa en oma. Dat was beter. Zeker als zijn vader en moeder naar de gevangenis moesten. Misschien zouden ze vrijgesproken worden. Met hulp van de beste advocaat van het land, Meester Petrowitz. Hoe konden ze die eigenlijk betalen? vroeg Robin zich af.

De rechter was Meester Kreukniet. Hij nam plaats achter een hoog bureau. Links zat Meester Grijpgraag, de beroemde officier van justitie. Net als Kreukniet en Petrowitz droeg hij een zwarte toga met een witte bef. Berrie en Estella Knacker zaten op een bankje, met hun handen tussen hun knieën. Naast hen zaten Petrowitz en Slatko. De Roemeense boef keek brutaal voor zich uit.

'Aha!' zei de rechter. 'Dit is de zaak van het valse geld.'

Met een dreun zette hij een grote doos voor zich op tafel. Hij maakte hem open, pakte een stapeltje bankbiljetten en stak deze in de lucht.

'Geld, veel geld! Biljetten van vijftig, honderd en tweehonderd euro. Maar ook dollars en cadeaubonnen. Alles prachtig nagemaakt. Vakwerk. Maar heel erg strafbaar.'

Gedachteloos telde hij de biljetten in het bundeltje. Het leek wel of hij even wegdroomde.

'De officier heeft het woord. Meester Grijpgraag?'

Grijpgraag ging staan en wees naar de Knackers.

'Daar zitten ze! Berrie en Estella Knacker. Een vader en moeder die alleen maar aan zichzelf dachten. Ze hebben iedereen bedrogen. Samen met hun handlanger Slatko.'

Estella kreeg het benauwd. Grijpgraag ging door.

'Uit pure hebberigheid hebben ze peperdure spullen gekocht. Auto's, boten, paarden, huizen, spelcomputers en kasten vol met dure kleren. En alles betaald met vals geld. Het is een schande! Maar misdaad loont niet, dat is wel duidelijk.'

Grijpgraag nam een slokje water.

'Deze schurken hebben de bank, winkeliers en de bevolking opgelicht. Want valse bankbiljetten verspreiden is een slechte zaak. Ook helpers die valse biljetten uitgeven, hangt straf boven het hoofd. Zelfs als je alleen maar vals geld ontvangt en dit opnieuw uitgeeft, is dat strafbaar. U krijgt gevangenisstraf. U boft dat we nu in deze tijd leven. In de Middeleeuwen werden valsemunters levend gekookt. Of op de brandstapel gezet.'

Achter in de zaal zat Robin te sidderen op zijn stoel. Die man in die jurk was niet mals!

'Wij hebben bewijzen. Wij hebben filmbeelden dat u vals geld maakte op bestelling. Uw telefoon is afgetapt. Slatko Stekilos, u werkte samen met de Knackers. Geeft u eindelijk toe?'

Maar Slatko was strijdbaar en ging staan.

'Iek niet weten. Iek Slatko, iek kloesjesman van die Knackers. En pizzabakker.'

Grijpgraag werd nu echt boos.

'Ontkent u nog steeds? We hebben beelden dat u met vals geld een dure ring koopt.'

'Rieng? Ies kado. Van die Knacker. Voor zijn vrouw. Iek alleen ophalen ien wienkel.'

'Ik ben er klaar mee, meneer de rechter,' vervolgde Grijpgraag, 'ik vraag om een zware straf.'

Grijpgraag ging zitten. Rechter Kreukniet zat een beetje te dommelen.

'Nou, dat is nogal wat. Wat is daarop uw antwoord?'

'Iek oensjchoeldieg! Iek alleen maar helpen!'

Hmm, dacht Robin, wat een hoop smoesjes. Wat zou oom Piet ervan vinden?

Grijpgraag nam het woord weer.

'Het opsporen van valsemunters is heel moeilijk. Gelukkig hebben we veel bewijzen. Dankzij listig speurwerk van Piet Polies en zijn helpers. Deze zaak is zo klaar als een klontje. Kijkt u maar even mee.'

Op een groot scherm werden nu alle foto's en filmpjes vertoond. Van Robin bij de botendealer, in de villa en in de paardenstal. Robin voelde zich enorm trots. Hij keek naar zijn oom en gaf hem een vette knipoog. Als dit geen bewijzen waren!

Nu mocht Meester Petrowitz wat zeggen. Als advocaat moest hij de Knackers en Slatko verdedigen. Hij ging staan.

'Meneer de rechter, wat is er nou eigenlijk gebeurd? Ik hoor niets over die bankoverval. Daar weten mijn cliënten niets van, vrijspraak dus. Ondertussen laat de politie een paar kinderen spioneren bij de familie Knacker. Brave burgers die een feestje geven voor hun jarige zoon! En later worden er stiekem foto's gemaakt bij verstoppertje spelen. Dit kan toch zo niet. Al het bewijs is onbruikbaar, het zijn vruchten van verboden spel. Mevrouw Knacker maakt kunst, met een kopieerapparaat, dat is toch niet verboden? En die arme Slatko, die moet toch ook zijn boterham verdienen? Met pizza's bakken en klusjes in huis. En af en toe een kunstwerkje. Hij heeft niets misdaan. Laat ze vrij!'

Petrowitz ging zitten. Nu stond Grijpgraag weer op.

'Meester Petrowitz, die Slatko had toch vals geld op zak? En Estella probeerde toch tweehonderd valse euro's te wisselen bij de supermarkt? Dat heeft toch niets met kunst te maken?'

Dat kon Petrowitz niet ontkennen. Hij zag nu in dat ze de zaak konden verliezen en dat er zware staf dreigde. Grijpgraag glimlachte fijntjes.

'Heren, ik heb genoeg gehoord.'

Meester Kreukniet vouwde zijn handen samen en keek de zaal in.

'De feiten zijn duidelijk. Ik denk dat ik meteen uitspraak kan doen. Geld kopiëren, dat mag dus niet. Wie opzettelijk valse bankbiljetten namaakt en uitgeeft, krijgt gevangenisstraf. En tijdens de arrestatie hadden jullie valse biljetten op zak. Dat is geldig bewijs. En in het dossier in deze doos zitten ook valse cadeaubonnen. Die hebben jullie zelf gemaakt en weggegeven.'

Als door een wesp gestoken veerde Robin op. Ai! Hij had ook zo'n bon! Niets waard dus!

De rechter ging door.

'Berrie, Estella en Slatko, jullie hebben een kopieerapparaat als eigen flappentap gebruikt. De schade bedraagt miljoenen! Jullie zijn valsemunters, gedreven door hebzucht. Dat is niet alleen misdadig, maar ook een slecht voorbeeld voor Ricky. Hoe kan hij nog gered worden?'

Even pauzeerde Kreukniet. Streng keek hij de zaal in.

'Slatko krijgt twee jaar gevangenisstraf. Hij is het brein achter de vervalsingen. Vader en moeder Knacker allebei zes maanden. Maar niet tegelijkertijd. Dan kan Ricky op school blijven. En bij zijn vrienden. Tenminste, als u een huurhuis in de buurt kunt vinden.

Want de villa wordt van u afgepakt. En de paarden en de auto's worden verkocht. Verder moeten alle spullen worden teruggeven aan de slachtoffers. De ring, de waterscooter, enzovoort.'

Nu slikte de rechter even. Hij graaide nog een keer in de doos op zijn bureau.

'En ten slotte: dit valse geld moet worden vernietigd. Juist ja. Deze zaak is gesloten.'

Rechter Kreukniet stond op en liep naar de deur. Daar keek hij nog eenmaal om naar de doos op zijn bureau. Toch zonde, leek hij haast te denken. Al dat geld…

Buiten op straat stapte Robin bij Piet in de politieauto.

'Met Ricky komt het misschien nog wel goed, oom Piet?' vroeg Robin.

'Vast wel, maar met zijn ouders, dat zal nog moeilijk worden.'

'Nou, oom Piet, de boeven gaan naar de gevangenis…'

'…en wij naar Tante Tine. Het is tijd voor wat lekkers!'

En met gierende banden scheurde Piet Polies met zijn neefje de straat uit.

En dan is er taart

Tijdstip: woensdagmiddag, 14.00 uur
Locatie: de kantine van Tante Tine op het politiebureau
Personen: Piet, Julia, Tante Tine, Robin, Sophie en Kuijer

'Tadaa!'

Daar was Tante Tine. Ze droeg een grote schaal met daarop een taart. Een rechthoekige taart. Ze zette hem midden op tafel.

'Hé,' zei Robin, 'het is een enorm bankbiljet. Van honderdvijftig euro!'

'Vreemd,' zei Piet. 'Een taart van geld?'

'Nee slimmerik, van marsepein!' zei Tante Tine.

'Ahum,' kuchte Sophie ertussendoor, 'Tante Tine, een biljet van honderdvijftig euro, dat bestaat toch helemaal niet?'

'O nee, wijsneus? Moet je kijken, daar staat het toch: honderdvijftig euro. Wat je ziet, dat is er. Niet zeuren. Wie wil er een stuk?'

Met een soort kapmes sneed Piet de taart aan.

'Wat een groot mes, oom Piet,' zei Robin, 'hoe komt u daaraan?'

'Ach, een keer in beslag genomen. Van een of andere maffe messentrekker.'

Tante Tine schonk thee en limonade in en gaf iedereen een lekker stuk taart. Kuijer kreeg een broodje haring.

'Wat is er eigenlijk met het valse geld gebeurd, oom Piet?' vroeg Sophie.

'Versnipperd in de shredder*. Behalve twee biljetten. Eentje voor jou en eentje voor Robin. Alsjullieblieft. Om in te lijsten. Als souvenir voor boven je bed.'

'Wow,' zei Robin, 'echt vals geld!'

Piet ging door.

'Ik heb nog een verrassing. Van de burgemeester krijgen jullie allebei een Zilveren Pluim. Omdat jullie zo goed hebben geholpen met deze zaak.'

'Jeetje, wat moet ik nou met zo'n pluim, oom Piet?' lachte Robin.

'Dat dacht ik al,' zei Piet, 'en daarom

krijgen jullie ook nog allebei een echte cadeaubon. Van vijftig euro. Mooi toch!'

'Hoera!' riep Robin. 'Kan ik eindelijk een nieuwe game kopen!'

'Dank u wel!' zei Sophie. 'Maar hoe gaat het nou met Ricky?'

'Die logeert bij zijn moeder, zolang zijn vader in de gevangenis zit. En daarna bij zijn vader, als zijn moeder moet brommen...'

Verder kwam Piet niet, want daar ging Robins telefoon. Het was Ricky! Iedereen werd stil.

'Hoi Ricky, we hadden het net over jou. Hoe gaat het?'

'Balen joh, mijn vader en moeder moeten naar de gevangenis.'

'Eh ja, dat hoorde ik, zwaar balen.'

'Nou, eigenlijk ben ik wel blij,' zei Ricky. 'Nu hoeven we niet steeds te verhuizen, en stiekem te doen. En pa en ma hoeven niet samen naar de gevangenis. Dan ga ik met mijn moeder bij mijn oma wonen en kan ik gewoon naar school. Ik blijf gewoon bij jullie in de klas!'

'Gaaf man,' zei Robin, 'dan blijven we dus vrienden.'

'Oké, cool, dat wou ik even weten. Enne, vertel je oom Piet maar niet dat ik nog een kart heb. Die stond bij de racebaan. Ik kan altijd nog wereldkampioen Formule 1 worden, ha ha!'

Robin aarzelde nu, maar zei niets en hing op. Een kart, dat was toch niet zo erg?

Iedereen was blij dat Ricky niet echt verdrietig was.

'En Slatko, wat gebeurt er eigenlijk met hem?' vroeg Sophie aan oom Piet.

'Tja, die rare Slatko wordt teruggestuurd naar Roemenië. Ja jongens, buitenlandse boeven worden soms het land uitgezet. Opgeruimd staat netjes.'

Dat was dat. Maar Robin wilde nog meer weten.

'Eén ding nog, oom Piet, hoe zit het toch met die bankroof in Juinen?'

'Ja jongen, goeie vraag. Dat geld is dus nog steeds weg. Die zaak gaan we binnenkort oplossen. Eerst even een dagje rust.'

Rust? Die was van korte duur. Want daar ging de telefoon alweer. Het was de burgemeester.

'O nee hè, niet nu alweer... Met de politie?'

'Ja Piet, de burgemeester hier. Zeg, wanneer gaan we die bankroof oplossen?'

'Snel, Burgemeester, snel. Eerst nog even mijn valse geld tellen!'

Lachend hing Piet op. Tja, het leven van een politieman is nooit saai.

Piet Polies

Ken je deze woorden?

Aangifte Als je naar het politiebureau gaat om te zeggen wat er is gebeurd, doe je aangifte.

Advocaat Iemand die personen helpt in een rechtszaak. Hij is wel partijdig, want hij verdedigt één partij.

Arrestatie Als de politie een verdacht persoon meeneemt naar het politiebureau.

Bekentenis Als iemand toegeeft dat hij het gedaan heeft.

Beveiligingscamera Deze camera's zie je in winkels of op straat. Ze staan altijd aan en verzenden beelden naar een controlekamer. Daar worden ze bekeken of opgeslagen.

Bloemkoolgreep Een speciale judogreep die alleen politieagenten kennen om boeven te vangen.

Elektra Elektriciteit, stroom. Dit is de energie waarop elektrische apparaten werken.

Flappentap Geldautomaat waar je geld uit kunt halen met je pinpas.

Hologram Een driedimensionaal beeld gemaakt door laser-fotografie.

Incognito Wie incognito gaat, wil niet herkend worden. Iemand is dan verkleed of heeft een schuilnaam aangenomen.

Microscoop Apparaat waarmee je kleine voorwerpen zichtbaar kunt vergroten.

Mobilofoon Soort mobiele telefoon om te kunnen praten met een basisstation en andere mobilofoons.

Nachtkijker Een soort verrekijker om 's nachts in het donker mee te kijken.

Officier van justitie Iemand die strafbare feiten opspoort en bepaalt wat de verdachte precies heeft gedaan. Daarna kan hij om straf vragen.

PK Paardenkracht. Geeft de kracht aan van de motor van bijvoorbeeld een auto. Hoe meer pk's, hoe sterker de auto.

Proces-verbaal Schriftelijk verslag van wat er precies gebeurd is, bijvoorbeeld iets wat strafbaar is.

Rechter Een onpartijdig iemand die door de regering van het land is benoemd om uitspraak te doen in rechtszaken. Hij zoekt de waarheid en oordeelt of iemand straf krijgt.

Sealbag Plastic zak om geld in te doen. Je kunt hem verzegelen en depo-neren in de nachtkluis (een soort beveiligde brievenbus) van een bank.

Shredder Apparaat waarmee papieren worden versnipperd, een papiervernietiger.

Skimmen Bedrog waarbij boeven de pincode van bankpasjes ontfutselen om vervolgens zomaar geld op te nemen van andermans bankrekening.

SUV Sports Utility Vehicle. Grote, dikke, dure personenauto.

Top secret Engels voor 'topgeheim'. Dit mag echt niemand weten!

Technische Recherche Afdeling van de politie. Deze agenten onderzoeken sporen, zoals vingerafdrukken, stukjes stof van kleding, speeksel, mondafdrukken op glazen en nog veel meer.

UV-lamp Lamp met ultraviolet licht om bepaalde kenmerken van bijvoorbeeld een bankbiljet te controleren.

Voorarrest Het aantal dagen dat iemand in de politiecel zit voordat hij voor de rechter komt.

Vrijspraak Als de rechter zegt dat iemand geen straf krijgt. Bijvoorbeeld als hij niks heeft gedaan. Of als het niet bewezen is dat hij iets strafbaars heeft gedaan.

Watermerk Als je een bankbiljet tegen het licht houdt, zie je een doorzichtig merkteken. Dit is het watermerk.

Winstbejag Als je heel veel geld wil verdienen en daarbij alleen maar aan jezelf denkt.